FRENCH
A WEEK

Book II

By

P. H. HARGREAVES, B.A., F.I.L.
A. SHELDON, L. ès L.
J. FERRO, B.A.

BASIL BLACKWELL · OXFORD

Also in this series:
French Once a Week Book 1
German Once a Week Books 1 and 2
Spanish Once a Week
English Once a Week

First printed November 1962
Sixth impression 1974
0 631 97300 1

Printed in Great Britain by Alden & Mowbray Ltd
at the Alden Press, Oxford
and bound at Kemp Hall Bindery

AUTHORS' FOREWORD

This book carries on the work begun in *French Once a Week* (Book 1). The total number of words used in both volumes is 1,685 of which 997 were used in the first volume. The vocabulary demands, therefore, are reduced to a minimum, leaving the student free to concentrate on basic grammar and sentence manipulation.

The Grammar Notes have again been kept as simple as possible. We have included a few exercises more difficult than others for the benefit of students who are not genuinely 2nd Year. We foresee, in fact, that this book will sometimes be used as a revision course.

FRENCH ONCE A WEEK

TEXT 21

APRÈS LES VACANCES

Avez-vous passé de bonnes vacances? J'espère que vous n'avez pas oublié John et ses amis. John est un étudiant anglais qui a passé ses vacances en Alsace chez la famille Bourjois. Il veut devenir professeur de français. C'est pourquoi il est allé en France.

Les Bourjois habitent l'est du pays, l'Alsace, dans une petite ville située au pied des montagnes des Vosges. Monsieur Bourjois est docteur. Il a deux fils, Jacques et Richard, et une fille, Anne. Madame Bourjois est une petite dame très gentille.

Après son long séjour en France, John est revenu en Angleterre avec une grande provision de souvenirs qu'il va partager avec ses amis anglais. Voici, par exemple, une lettre à un de ses camarades de classe, nommé Paul :

Mon cher,

Je suis revenu hier soir de mon séjour de deux mois chez mes amis, les Bourjois, en Alsace. Ils ont été si gentils pour moi! Richard Bourjois et moi, nous sommes devenus bons amis. Il va peut-être venir en Angleterre à Noël et il veut rester quelques semaines chez nous. J'espère que tu vas venir faire sa connaissance.

Richard, son frère Jacques, sa soeur Anne et moi, nous avons fait un magnifique voyage à bicyclette à travers la France. Nous avons emporté une belle tente, que Jacques a portée sur sa bicyclette, et d'autres objets nécessaires au camping. Richard, Anne et moi, nous les avons partagés entre nous. Nous sommes arrivés à Paris le quatorze juillet pour prendre part à la fête nationale et nous y sommes restés quelques jours pour voir les monuments célèbres : Notre-Dame, la Tour Eiffel, le Louvre, et d'autres. On a pris du café aux Champs-Elysées et on est allé voir les fontaines illuminées de la Place de la Concorde. En route, nous avons campé une fois dans une prairie près d'une jolie ferme. La famille du fermier est venue s'asseoir autour de notre feu de camp; on a parlé et on a chanté jusqu'à dix heures du soir. Puis, nous nous sommes baignés dans la rivière. Anne (qui est très belle, tu sais!) et moi nous nous sommes promenés ensemble au clair de lune! Le lendemain, j'ai eu une aventure effroyable! J'ai été poursuivi par un taureau! Heureusement, j'ai couru plus vite que lui et je me suis sauvé. Enfin, nous sommes arrivés à Cannes, où nous avons passé quelques jours.

Les Bourjois m'ont aussi montré les plus beaux endroits et les villes les plus intéressantes d'Alsace. Nous sommes souvent allés à la vieille ville de Strasbourg où nous avons vu la cathédrale et aussi l'université où ils travaillent tous les trois; Jacques étudie la médecine, Richard les langues vivantes, et Anne la sculpture. En automne, j'ai pris part à la vendange et j'aime bien le bon vin blanc d'Alsace.

Qu'est-ce que tu as fait, toi, pendant tes vacances? Dis-moi quand tu peux venir; j'ai tellement envie de te revoir.

A bientôt,

John

GRAMMAR NOTES FOR TEXT 21

The first three texts of this second-year course do not introduce any grammar which has not already been taught in the first-year course. They are intended to be used for revision of the grammar already learned. Students who are beginning the second-year course without having done the first, will find in text 21 a brief résumé of some of the incidents which have been recounted in the previous twenty texts and are given an introduction to the chief characters of the stories.

Text 21 is primarily an exercise on the use of the **perfect tense;** it includes verbs which use 'être' as well as 'avoir' to form this tense, and also reflexive verbs.

To refresh your memory, here is a list of the most commonly used **verbs which use 'être'**:

aller	to go	venir	to come
arriver	to arrive, happen	partir	to leave
descendre	to come down	monter	to go up
entrer	to come in	sortir	to go out
rester	to stay	tomber	to fall
retourner	to return		

Note: Composites of these verbs also use 'être', such as: rentrer, devenir, revenir, repartir, etc.

Formation of Past Participles

Verbs ending in -ER change the ER into	**é**	all**er**	all**é**
„ „ „ -IR „ „ IR „	**i**	fin**ir**	fin**i**
„ „ „ -RE „ „ RE „	**u**	vend**re**	vend**u**

Irregular past participles. A number of verbs have past participles which do not follow the general rule. Examples in this text:

été (être): eu (avoir): venu (venir): (also devenu, revenu) fait (faire): vu (voir): pris (prendre): couru (courir).

Agreement of Past Participles

Students will have noted that some past participles in text 21 show a feminine (e) or a plural (s, es) ending. This is because in certain circumstances the past participles agree in number and gender with either the subject of the verb or the direct object when it comes in front of the verb.

Only students who wish to **write** French accurately need learn the rules of agreement and they are therefore only summarized here as follows:

(1) Past participles of **verbs using 'être'** (see list above) agree with the **subject** of the verb.

Examples:

La famille est venue. **Nous** sommes arrivé**s**.

(2) Past participles of **reflexive verbs** agree with the **direct object** of the verb when it comes **before** the verb.

Examples:

Nous **nous** sommes baignés. Anne **s'est** promenée.

(3) Past participles of **verbs using 'avoir'** agree with the **direct object** when it comes **before** the verb.

Examples:

la tente que Jacques a portée.
(les objets) ... nous **les** avons partagés entre nous.

Revision of Adjectives. Note (1) irregular forms (2) correct position, before or after the nouns.

EXERCISES FOR TEXT 21

1. **Répondez aux questions:** Qui est John? Comment s'appellent ses amis? Qu'est-ce que John étudie? Dans quel but (aim)? Pourquoi est-il allé en France? Où habitent les Bourjois? Combien d'enfants ont-ils? Quelle est la profession de Monsieur Bourjois? A qui John écrit-il? Qu'a-t-il fait en France? Etes-vous déjà allé en France? Avez-vous visité Paris? Nommez quelques monuments célèbres de Paris. Qu'est-ce qu'on célèbre le 14 juillet? Aimez-vous camper? Nager? Marcher en montagne? Est-ce que vous vous intéressez aux vieilles villes? Qu'est-ce que Jacques, Richard et Anne étudient à Strasbourg? Qu'est-ce que vous étudiez ici?

2. **Mettez les verbes au passé composé** (perfect)

(*a*) (1) Je suis malade.
(2) Nous allons à Paris.
(3) Il arrive à la gare.
(4) Ils rencontrent leurs amis.
(5) J'entre dans la maison.
(6) Les filles sortent à bicyclette.
(7) Vous faites vos devoirs.
(8) Elles viennent à 4 heures.
(9) Richard a une tente.
(10) Nous voyons beaucoup de monuments.

(*b*) (1) Nous nous promenons au clair de lune.
(2) Anne se baigne dans la rivière.
(3) Les garçons se couchent tard.
(4) John se sauve devant le taureau.
(5) Vous amusez-vous bien au cinéma?
(6) Richard et John se lèvent à sept heures.
(7) Anne et sa mère s'arrêtent devant le magasin.
(8) Marie, où t'assieds-tu?
(9) Les poules se réveillent les premières.
(10) Nous ne nous lavons pas dans la salle à manger.

3. Adjectifs irréguliers. Donnez aux adjectifs leurs formes et leurs positions correctes:

Exemple:

(GRAND, ROUGE) le livre: les bouches.
le grand livre rouge : les grandes bouches rouges.

(1) (BEAU, NOIR) le cheval : la vache : les manteaux.
(2) (BON, JEUNE) une femme : les hommes : les filles.
(3) (VIEUX, FRANÇAIS) le livre : l'oncle : les villes.
(4) (LONG, ÉTROIT) la rue : les rivières : les lacs.
(5) (PETIT, BLANC) le chat : la robe : les chemises.

4. Traduisez: Je vois maintenant les champs qu'ils ont déjà vus. Etes-vous venus aussi par cette route? La campagne est jolie au printemps; mais en hiver les feuilles sont tombées des arbres et les fleurs ont disparu. En été, ma soeur s'est promenée au bord de la rivière et nous nous y sommes baignés tous les jours. Aujourd'hui nous sommes sortis dans la neige mais peu de gens sont allés en ville.

Expliquez l'accord des participes passés dans ces phrases.

TEXT 22

LETTRES (A)

Quand on a passé quelques jours ou quelques semaines chez des amis, on est obligé d'écrire des lettres de remerciement. Ce n'est pas toujours très amusant. John est un garçon très poli; il sait qu'il doit écrire à Madame Bourjois. Il prend l'encrier et le met sur la table; il sort son stylo de sa poche et le remplit. Il a aussi mis du papier à lettres et des enveloppes sur la table. Puis il s'assied sur une chaise et commence :

— Madame, (les Français doivent être beaucoup plus cérémonieux que les Anglais quand ils écrivent des lettres. Il faut dire 'cher' ou 'chère' seulement aux personnes qu'on connaît bien.)

— C'est avec regret que j'ai quitté votre beau pays. Je veux vous remercier des magnifiques vacances que j'ai passées avec vous. Vous me les avez rendues tellement agréables.

(J'ai bien commencé, pense John. Maintenant il faut continuer. Qu'est-ce que je dois encore dire?) Il mord sa plume, puis il la tourne et la retourne entre ses doigts. Il écoute un peu la radio, fume une cigarette et fait des ronds avec la fumée. Mais enfin le temps presse et le force à recommencer.

— Vous avez tous été si gentils pour moi! Vous m'avez reçu et vous m'avez traité comme un membre de la famille.

(John a remarqué en effet qu'en France la famille, même un cousin très distant, a beaucoup d'importance.)

—Je suis revenu ici avec un souvenir inoubliable de la France. Grâce à vous, j'ai pu visiter l'Alsace en détail, et le voyage que nous avons fait à travers la France a été vraiment splendide. Hier soir, un programme sur la France a paru à la télévision. J'ai reconnu bien des endroits et je les ai nommés à ma famille. Merci de toutes vos bontés et merci aussi à Monsieur Bourjois.

—Je vous prie de recevoir, Madame, l'assurance de mon très grand respect,

John.

John n'est pas du tout content de la lettre qu'il a produite; il aime bien Madame Bourjois, mais les formules de politesse sont très froides. Les Français ont plusieurs formules pour finir les lettres. En voilà deux exemples :

Pour une lettre d'affaires : 'Veuillez agréer, Monsieur, mes salutations distinguées', ou, 'mes sincères salutations'.

Pour des connaissances ou des amis : 'Recevez, chers amis, mes meilleurs souvenirs'.

John écrit maintenant une lettre à Richard. C'est beaucoup plus facile.

Vocabulary:

Veuillez agréer mes salutations distinguées	yours faithfully
Veuillez agréer mes sincères salutations	yours sincerely
Recevez ... mes meilleurs souvenirs	with best wishes

GRAMMAR NOTES FOR TEXT 22

This text continues the revision of the perfect tense, with further examples of the agreement of past participles. It also revises the use of **Pronouns,** especially the Direct and Indirect Object pronouns and the Strong (or emphatic) pronouns. These are:

Direct Object		*Indirect Object*		*Strong*	
me	me	me	to me	moi	me
te	you (sing.)	te	to you	toi	you
le	him, it	**lui**	to him, it	lui	him, it
la	her, it	**lui**	to her, it	elle	her, it
nous	us	nous	to us	nous	us
vous	you	vous	to you	vous	you
les	them	**leur**	to them	eux	them (m.)
				elles	them (f.)

Important note: **Direct and Indirect Object** pronouns nearly always **come in front of the verb.**

The pronouns 'y' and 'en' follow the same rule. They mean:

Y	there, to it (a place)	EN	some, any, of it, of them, from it, from them

VOICI and VOILÀ are treated as verbs and the pronouns precede them according to the general rule.

Order of Pronouns. When two pronouns (direct or indirect object, or 'y' and 'en') occur in the same sentence they must be placed in the correct order:

Subject Pronoun	*Negative*	*Pronouns*					*Verb*	*Negative*
je	ne	me					,,	pas
tu	,,	te	le	lui	y	en	,,	,,
il, elle	,,	(se)	la	leur			,,	,,
etc.	,,	nous	les				,,	,,
	,,	vous						

Strong pronouns are used after certain prepositions such as: à, avec, avant, chez, de, entre, pour, sans, vers, and many others.

88. Irregular verbs ECRIRE—to write and **DEVOIR**—to owe or to be obliged to

j'écris	I write	je dois	I owe, I am obliged
tu écris		tu dois	to, I must
il écrit		il doit	
nous écrivons		nous devons	
vous écrivez		vous devez	
ils écrivent		ils doivent	

Past Participles: (j'ai) écrit (j'ai) dû

Note: 'Devoir' and 'falloir' both express obligation, but 'falloir' is an Impersonal verb and can only be used in the 3rd person singular with the appropriate indirect object pronoun to indicate the person concerned.

Thus: il faut—it is necessary
il **me** faut—it is necessary **to me** (i.e. **I** must)
il **leur** faut—it is necessary **to them** (**they** must)

'Falloir' also means 'to need'.

Irregular Past Participles (continued)

mis (mettre) : (re)connu (re)connaître : reçu (recevoir) (ap)paru (ap)paraître : pu (pouvoir)

EXERCISES FOR TEXT 22

1. **Répondez aux questions:** Qui écrit la lettre? A qui écrit-il la lettre? Est-ce que c'est une lettre facile à écrire? Aimez-vous écrire des lettres? Qu'est-ce qu'il faut pour écrire des lettres? Combien de pages écrivez-vous dans une lettre à votre ami(e)? Avez-vous une radio? Quel est votre programme préféré? Fumez-vous des cigarettes ou une pipe? Qui d'entre vous ne fume pas? Combien de temps passez-vous à regarder la télévision? Quel est votre programme préféré? Qu'est-ce qui s'y passe? La télévision, est-elle une bonne ou une mauvaise invention? Aimez-vous les films documentaires?

2. **Complétez avec les verbes 'écrire' ou 'devoir'** selon le sens:

(*a*) (1) John ... une lettre.
(2) Nous ... partir.
(3) Ces élèves ... bien.
(4) Je ... à mes amis.
(5) Les enfants ... obéir à leurs parents.

(*b*) Refaites ces phrases au passé composé:

(*c*) Traduisez: (1) Have you written to your friends?
(2) Those children must thank their teacher.
(3) You must work to-day, we had to work yesterday.
(4) Are we not writing too many letters?
(5) Anne and Marie do not write quickly.

3. **Remplacez les noms en italiques par des pronoms.**

(1) Je mange *vos oranges*.
(2) Nous aimons *ce bon vin*.
(3) Je parle *aux garçons* dans la rue.
(4) Tu vois *ma femme*.
(5) Vous donnez *le livre à Marie*.
(6) Nous vous donnons *la pomme*.
(7) Elle me dit *les nouvelles*.
(8) Il raconte *l'histoire aux enfants*.
(9) Ils envoient *les cartes postales à Pierre*.
(10) Vous nous montrez *la photo*.

4. Remplacez les mots en italiques par 'y' ou 'en'.

(1) Avez-vous *des oeufs*?
(2) Lui avez-vous donné *du fromage*?
(3) Vous avez acheté *des vêtements à Paris.*
(4) J'apporte beaucoup *de fruits.*
(5) Il lui passe deux *assiettes.*
(6) Vous n'avez pas planté *de choux au jardin.*
(7) Etes-vous allés *à la gare*?
(8) N'avez-vous pas besoin *de sel*?
(9) Cette dame a mis beaucoup trop *de poudre.*
(10) Je ne connais pas tant *de gens* dans ce village.

5. Ecrivez une lettre à un ami, au passé composé, et racontez vos vacances.

TEXT 23

LETTRES (B)

John veut remercier son ami Richard. Il lui écrit aussi une longue lettre. Cette lettre est beaucoup plus facile à écrire que celle qu'il a écrite à Madame Bourjois. La voici :

Mon cher Richard,

Pour commencer, je te remercie infiniment de mes belles vacances. J'espère que tu vas bientôt me faire le plaisir de venir ici. Peut-être pour Noël? J'attends ta réponse avec impatience.

J'ai fait un bon voyage de retour. A la douane, j'ai fait **tout ce que** le douanier m'a demandé; j'ai ouvert toutes mes valises et le douanier a examiné toutes mes affaires. Est-ce que j'ai l'air d'un voleur? Pourtant je n'ai rien volé. Il a trouvé ma bonne bouteille de Bénédictine et il l'a taxée, mais il ne l'a pas prise. J'ai déclaré le parfum pour Maman, mais il ne l'a pas taxé. J'ai cassé le vase pour Suzanne, c'est dommage, mais je lui ai donné les cadeaux qu'Anne lui a offerts.

Mes parents vous envoient à tous leurs meilleurs souvenirs et vous remercient de votre gentillesse. Ils t'invitent cordialement à venir ici avec Anne ou avec Jacques.

Hier je suis allé à l'université. J'y ai retrouvé mon professeur et je lui ai demandé son opinion sur mon travail. Il m'a dit que mon séjour en France m'a fait du bien et que je parle très bien le français! C'est toujours grâce à toi! Je suis content de recommencer le travail et de revoir mes camarades, surtout celui qui s'appelle Paul. Je leur raconte **tout ce qui** m'est arrivé pendant mon séjour chez toi. Te rappelles-tu notre première excursion à bicyclette au sommet d'une des montagnes des Vosges? Nous en sommes descendus beaucoup plus vite que nous y sommes montés, n'est-ce pas?

Il y a une chose que j'ai retrouvée avec plaisir ici, mon terrain et mon ballon de rugby — c'est mon jeu préféré. La saison commence samedi prochain mais je ne suis pas en forme — je suis trop gros et trop gras après mes bons repas français! Je dois maigrir un peu. Comment peux-tu tant manger et rester si maigre?

Là-dessus, je te laisse maintenant. Ma soeur est venue ce matin et nous voulons sortir ensemble tout à l'heure. Elle a envie de connaître Anne, et lui écrit une lettre.

Dans l'espoir de te lire bientôt,

Bien à toi,

John.

As-tu remarqué que j'ai oublié mon rasoir chez toi? Je t'en fais cadeau ainsi que des lames.

John plie la lettre et la met dans une enveloppe. Il regarde par la fenêtre la pluie qui mouille les rues et le jardin. Des trous retiennent l'eau mais John n'a pas peur d'être mouillé; il va à la poste, achète un timbre et jette sa lettre dans la boîte aux lettres. Vous savez sans doute que les boîtes aux lettres sont jaunes en France. On ne les voit pas aussi bien qu'en Angleterre. On peut acheter des timbres dans les bureaux de tabac et dans certains cafés-tabacs.

Vocabulary:

tout ce qui	all, everything which . . .
tout ce que (qu')	all, everything which . . .

Note: (tout ce) qui is always the **subject** of the verb.
(tout ce) que is always the **object** of the verb.

GRAMMAR NOTES FOR TEXT 23

This is the last of the revision texts. Here we revise some more irregular adjectives, the demonstrative adjectives and pronouns, and the use of negatives.

Irregular Adjectives

Masculine singular	*Feminine singular*	*Masculine plural*	*Feminine plural*	*English*
beau (bel)	belle	beaux	belles	beautiful
nouveau (nouvel)	nouvelle	nouveaux	nouvelles	new
vieux (vieil)	vieille	vieux	vieilles	old
bon	bonne	bons	bonnes	good
gros	grosse	gros	grosses	large, bulky
blanc	blanche	blancs	blanches	white
frais	fraîche	frais	fraîches	fresh
cher	chère	chers	chères	dear, expensive
sec	sèche	secs	sèches	dry
heureux	heureuse	heureux	heureuses	happy
neuf	neuve	neufs	neuves	new

Note: the Comparative of 'bon' is 'meilleur (meilleure, meilleurs, meilleures)'.
The Superlative is 'le/la/les meilleur(e)(s)'.
Be careful when using the comparative of 'old' referring to **people.** You must use the word **'âgé'** here, not 'vieux'.

Example:

Cette maison est vieille, elle est plus vieille que l'autre.
But: cet homme est vieux, il est **plus âgé** que celui-ci.

Demonstrative Adjective and **Pronoun.**

ce, cet	(masc.)	this, that	celui	this, that one	(masc.)
cette	(fem.)	„ „	celle	„ „ „	(fem.)
ces	(plural)	these, those	ceux	these, those	(masc. pl.)
			celles	„ „	(fem. pl.)

Irregular past participles (continued)

ouvert (ouvrir) : couvert (couvrir) : offert (offrir) : souffert (souffrir) :

Use of 'n'est-ce pas?' In English, when wishing to ask a question, we sometimes use the verb 'to do', or else repeat the verb in the interrogative form:

You want to go out, don't you? He has two dogs, hasn't he?

In French, you can add 'n'est-ce pas?' (is it not so?) to the end of any sentence, to make it a question.

Vous voulez sortir, n'est-ce pas? Il a deux chiens, n'est-ce pas?

Negatives. In French, negatives are nearly always in two parts, one before and the other after the verb. Here are some of the most common negatives for revision:

ne ... pas	not		ne ... personne	nobody
ne ... plus	no more		ne ... rien	nothing
ne ... jamais	never	**but**	**ne ... que**	**only**

EXERCISES FOR TEXT 23

1. Répondez aux questions: Que fait John? A qui écrit-il? Pour quand invite-t-il son ami? Qui a examiné les valises? Décrivez la douane. Savez-vous comment sont habillés les douaniers? Qu'est-ce que le douanier a taxé? Où John travaille-t-il? Quel est son sport préféré? Quel est votre sport préféré? Aimez-vous le rugby à quinze ou le rugby à treize? Pourquoi John n'est-il pas en forme? Qu'est-ce qu'il a oublié chez les Bourjois? Quelle différence y a-t-il entre les boîtes aux lettres françaises et anglaises?

2. Remplacez les noms en italiques par des pronoms.

(*a*) (1) Tu vois *Anne* à la fenêtre.
(2) Je prends votre *mouchoir*.
(3) Voulez-vous des *fruits*?
(4) Nous donnons des cadeaux à nos *amis*.
(5) Elle se couche dans une *tente*.
(6) Achetez-vous assez de *café*?
(7) Elle trouve ses *gants* dans le jardin.
(8) Il voit beaucoup de *fleurs* au marché.
(9) Ils mettent leurs *chapeaux*.
(10) Est-ce que vous montrez vos devoirs au *professeur*?

(*b*) (1) Il ne donne pas la *bicyclette* à *John.*
(2) Elle met ce *fruit* sur la *table.*
(3) Vous montrez votre *robe* à ces *fillettes.*
(4) Anne est dans le *salon* avec ses *amies.*
(5) Vous parlez aux *hommes* dans la *rue.*
(6) Elle ne chante pas la *chanson* à son *fils.*
(7) Puis-je aller à la *gare* avec *Marie et Anne*?
(8) Nous voulons montrer la *cathédrale* aux *visiteurs.*
(9) Tu n'arrives pas à la *maison* avant *Richard et John.*
(10) Elle met assez d'*oranges* dans ce *bol.*

Les élèves les plus avancés peuvent refaire ces exercices au passé composé, prenant soin de faire l'accord des participes passés quand il le faut.

3. Adjectifs irréguliers. Remplacez les noms en italiques par les noms entre parenthèses et écrivez de nouveau les phrases suivantes, prenant soin de faire l'accord nécessaire des adjectifs etc.

(1) *Richard et John* sont grands et jeunes.
(Anne et Marie)

(2) Toutes les *filles* ont des *gants* blancs et neufs.
(garçons) (chemises)

(3) Le vieil *arbre* est situé près du nouveau *garage.*
(maison) (église)

(4) C'est un très beau *cheval* noir.
(vache)

(5) Les vieilles *villes* d'Alsace ont des *bâtiments* spacieux.
(villages) (caves)

(6) Le *chemin* est long et étroit.
(route)

(7) Le bon *père* donne du *pain* frais à l'enfant.
(mère) (des saucisses)

(8) C'est une belle *fleur* canadienne.
(arbre)

(9) Ce *garçon* est trop gros et trop gras.
(fille)

(10) Le *repas* est délicieux mais le *vin* est trop sec.
(viande) (les pommes de terre)

4. Complétez avec le pronom ou l'adjectif démonstratif :

(1) J'aime ... fleur, mais je préfère ... d'Anne.
(2) Nous connaissons ... hommes; ... qui parle s'appelle Jean.
(3) Nous avons vu ... maisons; j'aime ... qui ont un grand jardin.
(4) Voici de beaux fruits, mais ... de ma marchande sont meilleurs.
(5) ... qui parle à haute voix n'est pas toujours le plus sincère.

5. Décrivez un peu votre sport préféré.

TEXT 24

LETTRES (C)

John a une soeur, Suzanne. Elle a dix-huit ans. Elle est petite et mince. Elle a les cheveux bruns, un petit nez retroussé et les yeux bleus. Elle est très jolie. Elle est un peu timide, comme son frère John, mais elle est très gentille. Elle ne connaît pas Anne mais elle veut lui écrire.

Mademoiselle,

Mon frère me parle souvent de vous, et j'espère que je ne vous offense pas si je prends la liberté de vous écrire ces quelques lignes sans vous connaître. Mais mon prénom doit vous être familier. Merci pour les bas et la ceinture que John m'a apportés de votre part. Vous avez très bien choisi; la ceinture va bien avec ma nouvelle robe, et vous êtes gentille de m'envoyer un cadeau.

Je resterai à Bolton pendant les vacances de Noël. Mon frère partira pour quelques jours, mais rentrera à la maison pour les jours de fête. Est-ce que je peux vous inviter pour les vacances? John invitera aussi Richard. Nous demanderons à un grand nombre d'amis de se joindre à nous, et nous espérons ainsi vous donner d'agréables vacances. Je serai contente de vous avoir ici, et j'espère que vous serez libre de venir. Ma mère me dit aussi qu'elle aura grand plaisir à vous connaître.

Nous passerons **le Réveillon** en famille. Le Jour de Noël nous distribuerons les cadeaux accrochés à l'arbre de Noël. A midi, comme c'est l'habitude ici, nous mangerons de la dinde et du pouding au rhum. Venez, je vous en prie, j'aurai si grand plaisir à vous montrer un Noël anglais. Venez en avion plutôt qu'en chemin de fer; de cette façon vous ne serez pas trop fatiguée. John vous cherchera à l'aérodrome dans l'auto de papa. J'espère que cela ne vous fait pas peur de voler.

Vous savez sans doute que je dois aller dans une école de commerce à Londres cette année. Les leçons recommencent tout de suite après Noël et vous resterez peut-être quelques jours avec moi à Londres. Je suis sûre que vous aimerez notre capitale.

J'espère avoir bientôt de vos nouvelles et je vous envoie mes meilleures pensées.

Suzanne.

Vocabulary: le Réveillon — Supper at midnight, particularly on Christmas and New Year's Eve.

GRAMMAR NOTES FOR TEXT 24

89. Future Tense. You have already learned the Present and Perfect tenses. Up to now, the idea of the future has been expressed by using 'aller' (to be going to) followed by another verb in the infinitive, as in the sentences:

Je **vais acheter** des livres	I *am going to buy* some books.
Nous **allons voir** Paris	we *are going to see* Paris.

Now you must learn the Future tense and be able to say:

I *shall buy* some books.	We *shall see* Paris.

The **Future Tense** is formed by adding **certain endings to the Infinitive** of the verb and all three conjugations have the same endings. There are **no** exceptions to these endings though irregular verbs modify their infinitives.

-ER VERBS		-IR VERBS	
je rester**ai**	I shall stay	je partir**ai**	I shall leave
tu rester**as**	you will stay	tu partir**as**	you will leave
il rester**a**	he will stay	il partir**a**	he will leave
nous rester**ons**	we shall stay	nous partir**ons**	we shall leave
vous rester**ez**	you will stay	vous partir**ez**	you will leave
ils rester**ont**	they will stay	ils partir**ont**	they will leave

-RE VERBS	
je prendr**ai**	I shall take
tu prendr**as**	you will take
il prendr**a**	he will take
nous prendr**ons**	etc.
vous prendr**ez**	
ils prendr**ont**	

Note: In this 3rd group, the final 'e' of the infinitive is omitted.

90. Irregular Futures. Those verbs which modify their infinitives must be learned.

Avoir		**Etre**	
j'**aur**ai	I shall have	je **ser**ai	I shall be
tu auras	etc.	tu seras	etc.
il aura		il sera	
nous aurons		nous serons	
vous aurez		vous serez	
ils auront		ils seront	

91. Prepositions with Infinitives. Certain verbs do not require any prepositions between them and the following infinitive. The most common are:

aller	je vais chercher le chien.
venir	il vient voir la maison.
pouvoir	nous pouvons manger ici.
vouloir	vous voulez acheter une robe.
espérer	j'espère voyager en France.
devoir	ils doivent écrire des lettres.
falloir	il faut prendre l'autobus.

EXERCISES FOR TEXT 24

1. Répondez aux questions: Qui est Suzanne? Quel âge a-t-elle? Comment est-elle? Qu'est-ce qu'Anne lui a envoyé? Que fera-t-elle à Noël? Que fera John? Que ferez-vous? Comment décore-t-on la maison à Noël? Qu'est-ce qu'on voit sur l'arbre? Par quel moyen de transport Anne peut-elle venir? Comment préférez-vous voyager? Quel est le moyen le plus rapide? Quelle est la capitale de la France? de l'Angleterre? de la Suisse? de l'Italie? de la Belgique?

2. Mettez au futur:

(1) Nous prenons le thé chez nos amis.
(2) John est content de voir Anne.
(3) Richard et John ont faim.
(4) Ils entrent dans un restaurant.
(5) Nous les rencontrons à cinq heures.

(6) Madame Bourjois et Anne sont obligées de sortir.
(7) J'étudie l'anglais et l'italien.
(8) Tu as peur des lions.
(9) Vous sortez avant midi.
(10) Ils vendent des fruits.

3. **Faites des phrases** en vous servant des deux verbes dans chaque phrase et en mettant des verbes au présent, au futur ou au passé composé :

(*a*) (1) vouloir, partir.
(2) pouvoir, chanter.
(3) espérer, voir.
(4) devoir, faire (des commissions).
(5) aller, ouvrir.
(6) falloir, courir.
(7) venir, chercher.
(8) aller, se coucher.
(9) vouloir, acheter.
(10) pouvoir, se baigner.

(*b*) **Répétez au négatif,** en vous servant de : ne ... pas, ne ... plus, ne ... jamais.

4. **Révision.** Remplacez le mot entre parenthèses par un adjectif possessif :

(1) J'aime (my) chiens.
(2) (Your) livres sont sur (his) table.
(3) (Our) maison est dans ce quartier.
(4) (Her) auto est bleue.
(5) (Their) meubles sont modernes.
(6) Nous regardons (his) timbres.
(7) Monsieur, avez-vous perdu (your) valise?
(8) Nous cherchons (our) vêtements.
(9) Les élèves n'aiment pas (their) professeur.
(10) L'enfant joue avec (his) cadeaux.

5. **Racontez** vos projets pour vos prochaines vacances.

TEXT 25

MÈRE ET FILLE

C'est dimanche soir chez les Bourjois. Madame Bourjois tricote en lisant. Sa laine roule de temps en temps sur le plancher. Elle porte une jupe de toile noire et elle a mis ses lunettes. Monsieur Bourjois joue du piano; c'est sa distraction préférée. Soudain le téléphone sonne.

— Allons, bon! Je ne serai jamais tranquille, soupire le docteur.

Madame Bourjois va répondre. Heureusement, ce n'est pas un malade.

— Allô ... Ah! c'est toi, Anne. Bonsoir. Ça va?

— Bonsoir, maman. **Ça va** bien, merci. Ecoute ...

— **Qu'est-ce qu'il y a?** Tu me sembles bien excitée!

— Il y aura un grand bal samedi prochain. J'irai sans doute avec Jacques et des amis. Je ne sais pas ce que Richard fera; il viendra peut-être avec nous, ou il rentrera à la maison.

— Il fera ce qu'il voudra, dit Madame Bourjois. Ma petite Anne, je t'ai promis une robe neuve. Tu la veux pour ce bal?

— Oh, maman, oui, s'il te plaît! Pourras-tu venir mardi après-midi? Je serai libre. Nous pourrons choisir la robe ensemble.

— Oui, ça va, je viendrai mardi. Je prendrai le train d'une heure et je pourrai repartir par le dernier train, ce qui nous donnera tout l'après-midi pour faire les magasins. Au revoir.

— J'irai te chercher au train. Embrasse papa et merci. A mardi ...

Madame Bourjois va donc à Strasbourg le mardi suivant. Naturellement, la mère et la fille parlent tout de suite 'chiffons'.

— Quels souliers mettras-tu?

— Mes souliers blancs, bien sûr. Je n'en ai pas d'autres. Je les mettrai pour choisir la robe. Je les ai ici dans mon sac. Ensuite je les porterai chez le cordonnier.

— Où irons-nous d'abord?

—J'ai vu une robe que j'aime chez X ... et elle est assez bon marché. Elle coûte à peu près ce que tu veux dépenser.

— Eh bien, allons-y. Nous pourrons regarder les autres magasins en passant.

—J'ai donné rendez-vous à Richard et Jacques. Ils viendront à cinq heures.

— Bien. Nous prendrons un café ensemble. Nous aurons le temps avant le départ du train ... Ah, voilà une jolie robe en soie!

—Je préfère celle de chez X; elle est meilleur marché. Celle-ci ne me plaît pas beaucoup. Tu verras, toi aussi tu aimeras mieux l'autre.

Etant arrivées chez X ..., les deux dames ont acheté la robe qu'Anne a choisie. A cinq heures, ayant fini leurs commissions, Madame Bourjois et sa fille ont rencontré Jacques et Richard dans un café; puis, à cinq heures et demie, Madame Bourjois est repartie par le dernier train.

Vocabulary:

Ça va all right, O.K.
Qu'est-ce qu'il y a? What is the matter?

GRAMMAR NOTES FOR TEXT 25

92. Present Participles. In English we often use the Present Participle of verbs in such phrases as 'on arriving', 'while listening', 'by studying', 'in passing', etc. This participle has the ending 'ing'. In French the ending is **'ant',** which is added to the root of the **1st person plural** of the **Present** tense.

Thus:

nous aimons, (root : aim) gives aimant—loving.
nous finissons (root : finiss) gives finissant—finishing.
nous vendons (root : vend) gives vendant—selling.

Irregular. avoir has **ayant**—having. être has **étant**—being.

Examples in this text:

Madame Bourjois tricote **en lisant**—Mrs. Bourjois knits *while reading.*

... regarder les magasins **en passant**—look at the shops *in passing.*

Note: the preposition **'en'** (meaning while, in, on, by) often governs the present participle to give the idea of 'all the time'; e.g. il traverse la rue **en courant**—he runs across the road (doesn't stop running).

il fait cela **en sifflant**—he does that whistling (he whistles all the time he is doing it).

Sometimes 'en' is not translated at all in English.

Participles may also be used in the **Past tense.**

Examples:

ayant fini leurs commissions	*having done* their shopping.
étant arrivées chez X	*having arrived* at X's shop.

Participles may be used as **Adjectives,** in which case there is always agreement with the noun they accompany.

Examples:

le mardi suiv**ant** : la charm**ante** fille : les robes raviss**antes.**

93. Irregular Futures (continued)

aller	j'irai, tu iras, il ira ...
faire	je ferai, tu feras, il fera ...
venir	je viendrai, tu viendras, il viendra ...
vouloir	je voudrai, tu voudras, il voudra ...
pouvoir	je pourrai, tu pourras, il pourra ...
voir	je verrai, tu verras, il verra ...

94. Use of the Future tense. In sentences which contain one main verb in the future tense and one or more subsidiary verbs, **all the verbs** must be in the **future** tense (unlike the English).

Thus: we say: he *will do* (future) what he *wants* (present) but in French: il **fera** (future) ce qu'il **voudra** (future)

English: when they *arrive* (present) they *will have* coffee (future) but: quand ils **arriveront** (future) ils **prendront** du café (future).

95. **Relative pronouns** (see 37, Book 1). The relative pronouns 'qui' (who, which, that) and 'que' (whom, which, that) are familiar to us. Here are the pronouns 'ce qui' and 'ce que':

ce qui which, what (when 'what' means 'that which')
ce que which, what (when again 'what' means 'that which')

ce qui is always the **subject** of the verb.
ce que is always the **object** of the verb.

Examples:

ce qui nous donnera tout l'après-midi (subject of 'donnera').	(*that*) *which* will give us the whole afternoon.
je ne sais pas **ce que** Richard fera (object of 'fera')...	I don't know *what* (that which) Richard will do.

EXERCISES FOR TEXT 25

1. **Répondez aux questions:** Quel jour sommes-nous? Que fait Madame Bourjois? Comment est-elle habillée? Que fait M. Bourjois? Qu'est-ce qu'on entend soudain? Qui téléphone? Pourquoi Anne téléphone-t-elle? Qu'est-ce que Madame Bourjois a promis à sa fille? Quand ira-t-elle la voir? Quels souliers Anne mettra-t-elle? Quelle robe Anne aime-t-elle? A qui a-t-elle donné rendez-vous? Pourquoi? A quelle heure Madame Bourjois est-elle repartie?

2. **Mettez au futur:**

(1) Nous allons à Paris.
(2) Vous pouvez travailler.
(3) L'élève ne veut pas le chercher.
(4) Tu viens avec nous.
(5) Ils voient leurs amis.
(6) Elles font des gâteaux.
(7) Elle est contente.

(8) J'ai de bonnes cigarettes.
(9) Pierre et Paul viennent tous les jours.
(10) Faites-vous vos devoirs?

3. Pronoms relatifs. Complétez avec 'ce qui' ou 'ce que (qu')'.

(1) Vous n'entendez pas ... il dit.
(2) Nous ne savons pas ... est arrivé.
(3) Il se demande ... elle veut.
(4) Ce n'est pas tout ... je désire.
(5) Tout ... brille n'est pas d'or.

4. Mettez au futur:

(*a*) (1) Il mange quand il vient.
(2) Vous avez mal à la tête quand nous chantons.
(3) Dès qu'il part, le chien est triste.
(4) Quand je vois mon ami, je lui dis : Bonjour.
(5) Je change mon argent dès que le bateau arrive.

Traduisez:

(*b*) (1) As soon as it is fine, we shall go out.
(2) When he comes home, he will play the piano.
(3) You will meet him at the station when the train arrives.
(4) She will get up as soon as the doctor leaves.
(5) When he whistles, the train will depart.

5. Traduisez en anglais:

En arrivant à la gare, il voit son père.
Il lui parle en faisant des gestes.
Il a perdu de l'argent en vendant sa maison.
Il a cassé le vase en descendant l'escalier.
Nous marchons en regardant les magasins.

TEXT 26

UNE PANNE D'AUTO

Monsieur Bourjois roule aussi vite que possible sur une route de campagne; il a encore beaucoup de visites à faire aujourd'hui et il se dépêche. Mais il ne peut pas aller très vite sur cette petite route. Tout à coup, il sent que quelque chose ne va pas.

— Allons bon! Me voilà dans de beaux draps! J'ai une roue à plat. Et me voilà au milieu d'une route de campagne. Je suis au moins à cinq kilomètres d'un garage. Je déteste changer une roue à ma voiture. De plus, je serai tout sale pour mes visites. Enfin, tant pis! Qu'est-ce que je peux faire? Je dois certainement changer cette roue, mais heureusement j'ai dans l'auto une vieille blouse et de vieux gants, se dit le bon docteur, en se mettant au travail. En tout cas, **ça vaut mieux** qu'une panne de moteur ...

Il est sur le point de sortir les outils quand un camion, chargé d'une charrue, arrive et s'arrête.

— Eh, bonjour, docteur, crie une voix familière. Vous êtes en panne? Je peux vous donner un coup de main?

Le docteur, jetant un regard en arrière, reconnaît le fermier.

— Merci, Monsieur Marchal. Vous êtes bien aimable. J'ai une roue à plat et je suis pressé car mes malades m'attendent. C'est le caoutchouc qui est usé et qui ne vaut plus rien ou j'ai peut-être roulé sur un clou.

Monsieur Marchal saute de son camion et s'approche de Monsieur Bourjois. Est-ce que vous vous rappelez Monsieur Marchal? C'est un fermier; sa petite fille a eu l'appendicite l'année dernière. Le docteur et son fils Jacques, ne sachant pas la cause de sa maladie, sont allés la voir au milieu de la nuit et ont tout de suite amené l'enfant à l'hôpital dans leur voiture. Le fermier et la fermière n'ont pas oublié la bonté du docteur.

— Il ne faut pas vous salir, docteur. Donnez-moi ces outils. Je ferai ça pour vous, **ça vaudra mieux.**

Monsieur Marchal est adroit; il a bientôt mis la roue de rechange et rangé les outils. Beaucoup de fermiers sont bons mécaniciens.

— Et voilà, docteur, la réparation est finie. Vous pouvez vous en aller tout de suite. Dépêchez-vous car il y a de l'orage dans l'air. J'ai même déjà entendu le tonnerre.

— Merci mille fois. Vous m'avez vraiment rendu service, et je suis bien reconnaissant. Comment va votre famille?

— Ça va bien, heureusement. Marie a beaucoup grandi. J'espère qu'on n'aura plus jamais besoin de vous appeler la nuit. Vous avez été très gentil.

— N'en parlez pas, c'est mon métier. Vous connaissez le proverbe : A chacun son métier, les vaches seront bien gardées. Au revoir et merci encore.

— Il n'y a pas de quoi, docteur. On est bien content de vous donner un coup de main de temps en temps. Je m'en vais maintenant. Au revoir, docteur.

Monsieur Marchal touche son chapeau et s'en va.

Vocabulary:

Ça vaut mieux	it is better
Ça vaudra mieux	it will be better

GRAMMAR NOTES FOR TEXT 26

96. Present Participles (continued). Present participles of Reflexive verbs are formed in the same manner as other verbs, but the reflexive pronoun must always agree with the subject of the main verb:

en **se** mettant au travail, **le docteur** sort les outils.
en **me** baignant souvent, **j**'apprends à nager.

The third irregular present participle (beside ayant, étant) is from savoir—**sachant.**

ne sachant pas la cause   not knowing the cause

Another adjective formed from a present participle is **reconnaissant** (from reconnaître)—grateful, thankful.

97. Irregular verb S'EN ALLER—to go away.

je m'en vais	nous nous en allons
tu t'en vas	vous vous en allez
il s'en va	ils s'en vont.

Idiomatic use of 'aller':

Quelque chose ne **va** pas	something isn't right
Comment **allez**-vous?	how are you?

98. Irregular verb VALOIR—to be worth.

Present.	je vaux	nous valons
	tu vaux	vous valez
	il vaut	ils valent
Future.	je vaudrai etc.	
Past Participle.	(j'ai) valu.	

This verb is frequently used **impersonally** like 'falloir'.

il vaut mieux	it is better (to)
cela vaudra mieux	that will be better.

99. Double negatives. The negatives ne ... jamais, ne ... rien etc. are familiar to you but sometimes you will find two or more combined in one sentence as here:

qui **ne** vaut **plus rien**
on **n'**aura **plus jamais** besoin de vous appeler.

100. Idioms. Conversational French is full of idioms which must be learned. Such expressions cannot be translated literally.

Examples:

me voilà dans de beaux draps	now I'm in a fine mess
être en panne	to have a breakdown
donner un coup de main	to give a helping hand
il n'y a pas de quoi	don't mention it.

EXERCISES FOR TEXT 26

1. Répondez aux questions: Où est Monsieur Bourjois? Comment est la route? Pourquoi se dépêche-t-il? Que lui arrive-t-il? Où est le garage le plus proche? Que doit faire le docteur ? Qu'est-ce qu'il faut pour changer une roue ? Décrivez un camion. Qui conduit le camion? Qui est Monsieur Marchal ? Comment s'appelle sa petite fille ? Est-ce qu'elle a été malade ? Qu'est-ce qu'elle a eu ? Quand ? Combien de roues une voiture a-t-elle ?

2. **Donnez les participes présents** des verbes suivants : savoir : entendre : voir : parler : finir : faire : être : prendre : partir : avoir : se dépêcher : se réveiller.

3. **Employez** ne ... rien, ne ... jamais, ne ... personne, pour compléter les phrases suivantes :

(1) Il ... fait ...
(2) Nous ... voyons ...
(3) Je ... y vais ...
(4) ... avez-vous ... trouvé ?
(5) Marie ... parle à ...
(6) ... passez ... par là.
(7) Ce chat ... attrape ... de souris.
(8) ... a-t-il ... dit à ... ?
(9) Cette table ... est à ...
(10) Ce devoir ... vaut ...

4. **Faites des phrases** avec les expressions suivantes : en marchant : en venant : en prenant : de beaux draps : il n'y a pas de quoi : un coup de main : un coup d'oeil : un coup de poing : être en panne : un coup de pied.

5. **Donnez le contraire de :** plein : lourde : douce : heureux : sombre : noire : cher : une jeune femme : bon : toujours.

TEXT 27

NÉCROLOGIE D'UN CHAT

Pauvre Anne! Son petit chat est mort! Pauvre Minet ... il a voulu traverser la rue, et une auto l'a écrasé. Anne ne pleure pas parce qu'elle a vingt ans, mais elle est très triste. Elle aimait beaucoup son chat. Pendant les vacances il la suivait partout. Il cherchait sa maîtresse dans toute la maison quand elle s'en allait quelque temps. En été il allait tous les jours dans le jardin où il dormait sous les arbres. Quand une mouche passait, il se réveillait brusquement, et essayait de l'attraper d'un mouvement rapide comme celui d'un serpent. Il avait les yeux verts et les oreilles pointues. Ses poils étaient noirs, mais deux de ses pattes étaient blanches. Il jouait souvent avec une vieille petite balle.

Quelques jours plus tard Anne pense encore à Minet. Elle en parle un jour à une de ses amies, Hélène. Richard, qui est avec elles, écoute d'un air un peu moqueur.

— Qu'est-ce qu'il faisait en hiver, votre chat? demande Hélène.

— Quand nous étions tous ensemble au salon, il quittait la cuisine et venait avec nous. Il s'installait aussi près du feu que possible. Quand j'étais au salon je le prenais souvent sur mes genoux.

— Et qu'est-ce que vous faisiez quand vous aviez de la visite? demande Hélène.

— Il n'aimait pas les gens qu'il ne connaissait pas et il restait toujours à la cuisine.

— Oui, interrompt Richard, et tu avais l'habitude de lui apporter des friandises **au beau milieu** de la soirée. Tu le gâtais beaucoup trop.

— Il était si joli, Richard! Un jour il faisait très froid, il neigeait. Le jardin était tout blanc, et la neige tombait sans arrêt. Nos parents étaient assis près du feu avec Minet et nous allions sortir. J'ai ouvert la porte, et soudain Minet a couru dehors et a commencé à jouer avec des flocons de neige. Tu te rappelles? Il essayait de les attraper. Il courait à droite et à gauche, il bondissait de tous les côtés. Et maintenant il est mort. Nous avons presque un cimetière de chats; c'est le troisième que nous avons enterré dans notre jardin.

— Ma pauvre Anne! Viens boire un café. Ça te fera du bien et effacera le souvenir de tes malheurs.

Vocabulary:

Au beau milieu	right in the middle

GRAMMAR NOTES FOR TEXT 27

101. Imperfect Tense. This tense is used to indicate:

(*a*) a **repeated action** in the past: I *used to go* to school when I was a boy.

(*b*) an **interrupted action** in the past: I *was reading* when he came in.

(*c*) a **description** in the past: Napoleon *was* Emperor of the French.

The main difference between the Perfect and the Imperfect is: the **Perfect** can only be used for **one completed action** in the past.

Formation of the Imperfect. Like the future, all three conjugations have the same endings, based on the root of the 1st person plural of the Present tense. (Compare formation of the present participles.)

-ER VERBS *1st person pl.*	*Imperfect*	*English*
nous restons	je rest**ais**	(*a*) I stayed or remained
	tu rest**ais**	(*b*) I used to stay or remain
	il rest**ait**	(*c*) I was staying, remaining
	nous rest**ions**	
	vous rest**iez**	
	ils rest**aient**	

-IR VERBS (1)	-IR VERBS (2)	-RE VERBS
1st person plural		
nous finissons	nous sortons	nous vendons
je finiss**ais**	je sort**ais**	je vend**ais**
tu finiss**ais**	tu sort**ais**	tu vend**ais**
il finiss**ait**	il sort**ait**	il vend**ait**
nous finiss**ions**	nous sort**ions**	nous vend**ions**
vous finiss**iez**	vous sort**iez**	vous vend**iez**
ils finiss**aient**	ils sort**aient**	ils vend**aient**

Note: Verbs like manger, neiger, commencer, lancer, where the 'g' or 'c' is softened, keep the 'e' or take 'ç' unless followed by an 'i' or 'e':

je mang**e**ais, nous mangions, il neig**e**ait.
je commen**ç**ais, vous commenciez, ils lan**ç**aient.

Irregular Imperfect. ETRE.

j'étais	nous étions
tu étais	vous étiez
il était	ils étaient

Note: 'Avoir' is regular in the Imperfect: j'avais etc.

EXERCISES FOR TEXT 27

1. Répondez aux questions: Quel animal Anne avait-elle? Que lui est-il arrivé? Comment est-il mort? Que faisait-il en été? Où dormait-il? Comment était-il? Avec quoi jouait-il? Avec qui Anne parle-t-elle de son chat? Qui est avec elles? Que faisait le chat en hiver? Qu'est-ce qu'Anne lui donnait souvent? Combien de chats Anne a-t-elle eus? Avez-vous un animal? Quel âge a-t-il? Comment s'appelle-t-il? Décrivez-le. Aimez-vous les animaux?

2. Mettez à l'imparfait:

(1) Tu réponds aux questions.
(2) Nous mangeons des croissants tous les jours.
(3) Elle a les yeux bleus.

(4) Le chat est au jardin.
(5) Il aime jouer à la balle.
(6) Nous jouons au football.
(7) Les étudiants écoutent le professeur.
(8) Vous choisissez une robe.
(9) Nous avons beaucoup de patience.
(10) Ils sont gais.

3. **Complétez** en mettant le verbe entre parenthèses à l'imparfait:

Autrefois je (aller) à la ferme tous les samedis, pour acheter des oeufs, du beurre et du lait. En route, je (voir) des vaches qui (manger) de l'herbe; elles (être) blanches et noires. Le grand cheval qui me (regarder) par-dessus la haie (être) brun. Je (suivre) toujours la même route qui (mener) droit à la ferme, mais cette route (être) bien étroite et deux autos (pouvoir) à peine passer. Près de la ferme, il y (avoir) un hangar où je (laisser) toujours ma bicyclette, pendant que je (faire) mes commissions. Quand je les (avoir) faites, je (dire) 'Au revoir' à la fermière.

4. **Traduisez:**

(1) The dog used to guard the sheep.
(2) The sheep were eating grass in the meadow.
(3) The meadow was not far from the farm.
(4) One could see the roof above the trees.
(5) The trees were green in summer.
(6) The leaves fell in winter.
(7) The dog would play with the leaves.
(8) I would bring food to the farmer and his dog at midday.
(9) Every November 5th we had a bonfire.
(10) All the children used to come to see it.

5. **Décrivez à l'imparfait** une maison et un jardin que vous avez admirés.

TEXT 28

UN ACCIDENT

Richard est allé se promener au bord du Rhin avec son meilleur ami, Pierre, qui est ingénieur. Il faisait beau et chaud; les oiseaux chantaient gaiement, les feuilles des arbres remuaient au vent et jetaient leurs ombres sur le chemin. De temps en temps des bateaux montaient ou descendaient le Rhin. Ces bateaux venaient de différents pays; on voyait surtout des drapeaux suisses, des drapeaux hollandais et des drapeaux allemands. On entendait au loin les bruits de la ville et on pouvait imaginer la circulation incessante des camions, des autobus et des autos. Au loin, on apercevait le pont du Rhin. Des employés, des ouvriers faisaient comme Richard et Pierre et prenaient l'air de la campagne. Quelques fils de fer barbelés, et un fort en ruines rappelaient la guerre et la Ligne Maginot.

Les deux amis étaient contents de ne pas travailler et d'avoir un samedi après-midi libre. Ils traversaient justement la grande route quand une auto est arrivée à toute vitesse, beaucoup trop vite. Richard et Pierre ont couru de l'autre côté de la route pour éviter l'auto.

— Quel dangereux idiot! a crié Pierre, en tournant la tête.

— Aller à une vitesse pareille! Il est fou, a crié Richard. Il se croit à la course! C'est comme ça que les accidents arrivent. Est-ce que le danger ...

Mais il n'a pas pu finir sa phrase parce qu'un bruit terrible l'a arrêté. L'auto a pris le tournant trop vite et a accroché une motocyclette qui venait de l'autre direction. Des gens sont venus de tous les côtés et ont couru vers le lieu de l'accident. Un horrible tableau les attendait. Le motocycliste était couché par terre et du sang coulait d'une blessure derrière l'oreille. A quelques mètres de lui, la moto se trouvait dans le fossé au bord de la route, et ses roues étaient dans un triste état. Il y avait partout des morceaux de verre et de métal. Le chauffeur de l'auto était debout près du motocycliste et levait les bras au ciel, incapable d'action.

— Il faut téléphoner à l'hôpital, appeler une ambulance, prévenir la police ...

— Ah, voilà un agent. Du calme ... du calme.

— Un docteur, un docteur! Apportez une couverture ... en voilà une ... vite une cuvette d'eau chaude et une serviette de toilette ...

Tout le monde criait à la fois, courait dans tous les sens et personne ne faisait rien. Des femmes se retournaient pour ne plus voir le sang. Heureusement, un monsieur s'est approché du blessé en disant qu'il était docteur. Il s'est penché sur lui, l'a couché sur le dos et a commencé à lui essuyer le visage. Les yeux ouverts, le jeune homme regardait les personnes qui l'entouraient. Richard, qui se baissait pour aider le docteur, a poussé un cri ... c'était Jacques!

GRAMMAR NOTES FOR TEXT 28

In this text there are many examples of the use of the Perfect and Imperfect tenses. Always remember that the **perfect** can be used to describe **one completed action** in the past whereas the **imperfect** may be used for

(*a*) an interrupted action in the past
(*b*) a repeated or continuous action in the past
(*c*) a description in the past.

Students should study this text carefully in order to familiarize themselves with the correct uses of the two tenses. For instance:

The first paragraph (except the first sentence) is a **description**—therefore all the verbs are in the **imperfect** tense.

The second paragraph contains sentences such as:

'Ils **traversaient** la route (they *were crossing* the road) quand une auto **est arrivée** à toute vitesse' (when a car *arrived* at top speed).

The first verb here expresses continuous action, the second a completed action (the car only arrived once). Similarly:

'L'auto **a accroché** (completed action) une motocyclette qui **venait** de l'autre direction' (continuous action).

'Un monsieur **s'est approché** (completed action) en disant qu'il **était** docteur' (description).

102. Parts of the body. It is more generally correct to use the word 'the' than the possessive adjectives (my, his, our, their) when referring to the parts of the body.

Examples:

une blessure derrière **l'**oreille (not: **son** oreille)
il levait **les** bras au ciel (not: **ses** bras)
les yeux ouverts, le jeune homme ... (with **his** eyes open the young man ...)

Note: An exception to this general rule, however, is found when the part of the body is the subject of the sentence and begins the sentence.

Thus: **Sa** tête lui fait mal. **Ma** jambe est cassée.

103. Negatives before an infinitive. It is the usual rule to place the two parts of a negative on either side of the verb: 'il **n'**a **pas** pu finir'; 'elle **ne** faisait **rien**' etc. When the negative refers to an infinitive, however, **both** parts of the negative must come in front of the verb.

Examples:

Les amis étaient contents de **ne pas** travailler.
Des femmes se retournaient pour **ne plus** voir le sang.

104. Tenses of the expression 'il y a'

il y a	there is or there are
il y avait	there was or there were
il y aura	there will be
il y a eu	there has (or have) been

EXERCISES FOR TEXT 28

1. Répondez aux questions: Où Richard s'est-il promené? Avec qui? Où est le Rhin? Dans quelle mer se jette-t-il? Où prend-il sa source? Quel temps faisait-il ce jour-là? Que voyait-on sur le Rhin? Quel pays se trouve de l'autre côté du Rhin? Quelles guerres ont affecté cette région de la France?

Qu'est-ce que c'est que la Ligne Maginot? Comment l'acccident est-il arrivé? Où le motocycliste était-il blessé? Où était la motocyclette? Qu'est-ce qu'on voyait sur la route? A qui faut-il téléphoner? Quel est le dénouement inattendu de cet incident?

2. **Mettez le verbe entre parenthèses** au passé composé ou à l'imparfait:

Il (faire) froid, il (neiger) et il (geler). Le soir nous (aller) au cinéma à pied. Les passants (marcher) vite, ils (courir) presque. Nous (rencontrer) un ami, qui (porter) un habit gris. Il (avoir) l'air triste. Nous lui (demander) pourquoi il (être) triste. Il (aller) nous répondre quand son autobus (arriver). Il (monter) dans l'autobus qui (s'arrêter) seulement un instant. La route (être) couverte de neige et l'autobus (glisser) en partant. Il n'y (avoir) pas de danger mais le chauffeur (se mettre) à conduire plus lentement.

3. **Traduisez en anglais.**

(1) Il lève la tête en ouvrant les yeux.
(2) Le sourire aux lèvres, il regardait l'enfant.
(3) Une jeune fille aux yeux bleus achète une robe.
(4) L'homme à la moustache grise marche vite.
(5) Le chien à la patte cassée est à moi.
(6) Ouvrez la bouche et fermez les yeux.
(7) Les mains dans les poches, il se promène.
(8) As-tu les pieds mouillés?
(9) Donnez-moi la main; avez-vous mal aux yeux?
(10) Les élèves lèvent la main quand ils veulent parler.

4. **Mettez au négatif:**

J'ai quelque chose. Il y a quelqu'un.
Tu y vas toujours. J'en ai encore.
Quelqu'un vient. Quelque chose est arrivé.
Ils étaient contents de voir quelque chose.

5. **Décrivez un accident** que vous avez vu.

TEXT 29

UN ACCIDENT (SUITE)

Oui, c'était bien Jacques! Richard a crié et s'est penché sur lui.

— Docteur, c'est mon frère, est-ce que c'est grave?

— Je ne crois pas, mais je ne l'ai pas tout à fait examiné. Il avait de la chance de porter un casque de motocycliste. Les bras, les jambes sont intacts. Il faudra voir si cette blessure à la tête est sérieuse. Je ne le crois pas. Ce n'est qu'un peu de peau déchirée.

— Ah! le voilà qui remue. Eh, Jacques, c'est moi, c'est Richard qui te parle. Tu as mal?

— Laissez-le donc, a dit le docteur. Il parlera quand il sera prêt. Allons, buvez quelque chose, jeune homme, ça vous fera du bien.

Lui tenant le cou de la main gauche, le docteur lui a tendu un médicament dans un verre qu'on a apporté. Puis il a soulevé le jeune homme, lui a enlevé sa veste de cuir et lui a examiné la poitrine et le corps. Il n'y avait pas d'os cassés. Quelqu'un a téléphoné à l'hôpital et l'ambulance est arrivée. Un agent de police s'est avancé vers le groupe et la foule a reculé. Quelques-uns se sont offerts comme témoins.

— Comment va le jeune homme? a-t-il demandé.

Jacques a répondu avec effort, en se passant la main sur la figure et en se tenant le front.

— J'ai mal à la tête, mais ça ira ... dans une minute.

— Eh bien, tant mieux! Je vous verrai tout à l'heure à l'hôpital. En attendant, je veux m'occuper de ce monsieur-là; je me demande pourquoi il allait si vite. Les causes de l'accident sont claires, et il y a plusieurs témoins. Le juge jugera le cas.

— Et la motocyclette, monsieur l'agent? a demandé Jacques, qui se sent beaucoup mieux après avoir bu le médicament. Elle n'est pas à moi ... Mon Dieu, je l'ai complètement démolie! Je ne sais pas si on pourra la réparer.

— Vous avez les papiers? Elle est assurée? D'ailleurs, ce n'est pas vous qui avez causé l'accident; c'est la faute de l'automobiliste et tous les torts sont de son côté.

—J'ai tous les papiers sur moi.

—Eh bien, je m'occuperai de la machine. Vous me montrerez les papiers tout à l'heure. Laissez l'infirmier vous emmener dans l'ambulance maintenant; vous n'êtes pas encore solide.

Richard a accompagné son frère à l'hôpital, où on lui a fait un pansement provisoire. On a emporté ses vêtements sales.

—Je veux prévenir Jean, qui m'a prêté la moto, a-t-il dit à Richard.

—Moi, je le préviendrai pour toi, a répondu Richard. Mais je vais d'abord téléphoner à papa et il viendra te chercher. Ah, voilà l'agent.

Une heure plus tard, Monsieur Bourjois est arrivé et a amené Jacques à la maison où tout le monde l'a bien soigné.

GRAMMAR NOTES FOR TEXT 29

105. Parts of the body (see 102). It has already been pointed out that the word 'the' is more commonly used than the possessive adjective when referring to the parts of the body:

les bras, les jambes sont intacts

not: ses bras, ses jambes sont intacts

but there is a way of indicating the owner of the limbs whenever this is in doubt. In the sentences:

je **lui** tiens le cou ... nous **lui** examinons la poitrine

the **indirect pronoun** 'lui'—'to him' shows who is the owner of the neck and chest.

If, however, the owner of the limb is the **subject** of the verb, then the ownership is expressed by the **reflexive pronoun:**

il **se** passe la main sur la figure	he passes *his* hand
en **se** tenant le front	holding *his* (own) forehead
je **m'**essuie le visage	I wipe *my* face

Compare these two sentences:

La mère **se** lave les mains	the mother washes *her* (own) hands
La mère de l'enfant **lui** lave les mains	the child's mother washes *its* hands.

106. Irregular verbs CROIRE—to believe **BOIRE**—to drink.

Present

je crois	I believe	je bois	I drink
tu crois		tu bois	
il croit		il boit	
nous croyons		nous buvons	
vous croyez		vous buvez	
ils croient		ils boivent	

Imperfect

je croyais	I was believing	je buvais	I was drinking

Future

je croirai	I shall believe	je boirai	I shall drink

Perfect

j'ai cru	I have believed	j'ai bu	I have drunk

107. Difference between apporter, emporter and **amener, emmener.** The first pair refers only to **inanimate objects.** The second refers to **humans and animals** which move of themselves.

Le docteur a un **verre** qu'on a **apporté.**
On a **emporté** les **vêtements** sales.
M. Bourjois a **amené Jacques** à la maison.
Laissez l'infirmier **vous emmener** dans l'ambulance.

108. Use of ne ... que—only. You have learned several negatives which require 'ne' before the verb: ne ... pas, ne ... rien, ne ... jamais etc. Ne ... que is similar:

Ce **n**'est **qu**'un peu de peau déchirée it is *only* a little . . .

109. Idioms.

ça ira (future of ça va)	it will be all right
faire mal à quelqu'un	to hurt somebody
avoir mal	to be in pain
avoir de la chance	to be lucky

Note:

j'ai mal à la tête	I have a headache
j'ai mal aux dents	I have tooth-ache
j'ai mal à l'oreille	I have ear-ache
j'ai mal à la gorge	I have a sore throat

110. Pronouns quelqu'un(e) and **quelques-un**(e)**s** (plural).

You have already learned the adjective quelque(s) some. Here are the corresponding pronouns:

Quelqu'un a téléphoné	*someone* has telephoned
Quelques-uns s'offrent comme témoins	*some people* come forward as witnesses.

EXERCISES FOR TEXT 29

1. Répondez aux questions: Qui avait un accident? Comment? Qu'est-ce que Jacques portait sur la tête? Que fait le docteur? Où Jacques a-t-il une blessure? Est-ce qu'il a une jambe cassée? Qu'est-ce qu'on lui donne à boire? Qui arrive sur le lieu de l'accident? Comment est la moto? Qui vient chercher Jacques?

2. Mettez au passé: Sur la route il y a beaucoup de gens. Ils marchent lentement. Ils se promènent. Tout à coup on entend un grand bruit. Tout le monde tourne la tête et regarde. C'est un accident. Deux autos se heurtent l'une contre l'autre. Heureusement les chauffeurs des voitures n'ont pas de mal. Ils sortent de l'auto et chacun accuse l'autre d'être la cause de l'accident. Un agent vient et examine les autos.

3. Mettez au futur: Je suis content; je vais à Paris. Je prends le train. Dans le train il y a de la place. Le porteur met ma valise dans le filet. Je dis 'au revoir' à mes amis, le chef de train siffle, et le train part. Par la fenêtre je vois les prairies et les bois. Après quelques instants, je prends mon livre et je lis. C'est mon premier voyage à l'étranger et je crois rêver.

4. Mettez mener ou porter (aussi amener, emmener, apporter, emporter) selon le sens des phrases suivantes:

(1) Le marchand ... des légumes demain; il ... aussi son chien.
(2) Jacques ... sa soeur au cinéma.
(3) Quand nous irons en excursion, nous ... un pique-nique.
(4) Hier, le paysan a ... le cheval à l'écurie.
(5) ... les assiettes sales à la cuisine.

5. Faites des phrases en vous servant des expressions au paragraphe 109.

TEXT 30

CONVALESCENCE

Le lendemain de l'accident, Jacques s'est senti très mal, et une semaine plus tard, il est encore au lit. Il n'a plus besoin d'y rester mais il doit garder la chambre, parce qu'il est encore faible. Demain il descendra peut-être pour la première fois depuis son accident. En ce moment il est en train de lire. Il vient de finir un roman policier et a pris le journal que sa mère vient de lui apporter. D'habitude, il s'intéresse à la politique; il est lui-même membre d'un parti indépendant et discute sans cesse avec son frère qui vote socialiste. Les Français sont très individualistes et c'est pour cela qu'il y a tant de partis en France; les partis eux-mêmes sont souvent déchirés sur la politique à suivre.

Aujourd'hui Jacques a lu un article sur les puits de pétrole au Sahara mais il en a assez de la politique, des guerres, des nouvelles du monde et des querelles locales. Il a donc rejeté le journal et regarde le plafond d'un air malheureux. Il s'ennuie. Heureusement, voilà Anne qui rentre dans la pièce.

— Tiens, je suis allée chez le pharmacien; voilà tes médicaments. Qu'est-ce que tu es en train de faire? demande-t-elle.

— Rien, je m'ennuie; je viens de jeter un coup d'oeil au journal, mais il n'y a rien d'intéressant. Et je ne peux pas lire, j'ai mal à la tête et mal aux dents.

— Pauvre vieux! Tu dois te reposer. Tu seras bientôt guéri. Tu as de la chance, tu ne seras ni boiteux, ni sourd, ni muet, ni aveugle. Je vais rester avec toi si tu veux. J'ai à coudre une robe que nous venons de tailler, maman et moi. J'en couds une partie à la main. Allons bon! j'ai oublié mon fil et une aiguille. Il me faut aussi des ciseaux et des épingles. Et tu n'as plus de fruits; je vais t'en apporter.

— Apporte aussi du fil gris. J'ai perdu un bouton de ma veste. Je le coudrai moi-même; ça m'occupera.

—Jamais de la vie! Tu ne le coudras pas toi-même. Je le ferai pour toi. Je ne suis pas bonne couturière et la couture n'est pas mon fort, mais toi, tu es encore plus mauvais tailleur! Tu te piques les doigts à chaque coup!

Anne descend rapidement et cherche ce qu'il lui faut. Elle est sur le point de remonter quand quelqu'un sonne à la porte d'entrée. Quelle surprise! Jean, le propriétaire de la moto, et sa soeur Madeleine sont venus voir Jacques. Ce dernier est surtout content de voir Madeleine. Il salue ses amis avec plaisir.

— Tes camarades sont venus te voir, dit Anne à son frère.

— Bonjour, mon vieux. Comment ça va?

— Beaucoup mieux, merci. Je n'ai presque plus mal. Mais la moto?

— Ne t'en fais pas. C'est pour ça que nous sommes venus. Nous voulions te dire nous-mêmes que tout va bien pour la moto. Nous l'aurons de nouveau dans quinze jours environ. Nous devons passer au garage demain en huit pour savoir exactement quand nous pourrons la chercher.

— Nous venons d'acheter un billet de la Loterie Nationale, dit Madeleine. Si nous gagnons le gros lot, nous serons riches et nous pourrons acheter une auto en plus de la moto.

— Si tu gagnais une grosse somme d'argent ...

(Et la conversation continuera la semaine prochaine.)

GRAMMAR NOTES FOR TEXT 30

111. Use of 'même(s)' with the Strong Pronouns (see 77) to express 'self' or 'selves'.

moi-même	myself	nous-mêmes	ourselves
toi-même	thyself	vous-mêmes	yourselves
lui-même	himself	eux-mêmes	themselves
elle-même	herself	elles-mêmes	themselves

Note the difference between Strong Pronouns and Reflexive Pronouns.

112. Irregular verb COUDRE—to sew.

Present		*Imperfect*	
je couds	I sew	je cousais	I was sewing
tu couds			

il coud	*Future*	
nous cousons	je coudrai	I shall sew
vous cousez		
ils cousent	*Perfect*	
	j'ai cousu	I have sewn

113. Idiomatic use of 'venir'. When 'venir' is followed by the preposition 'de' and an infinitive it means **'to have just'.**

venir de partir	to have just left.
venir d'écrire une lettre	to have just written a letter.

Examples:

il **vient de** finir un roman	he *has just* finished a novel.
nous **venons d'**acheter un billet.	we *have just* bought a ticket.

Note the meaning when used in the imperfect: il **venait de** fermer la porte—he *had* just shut the door.

Note: the **verb after 'venir' de** is always an **infinitive.**

114. Vocabulary.

(*a*) *Expressions of time.*

La semaine prochaine (dernière)	next (last) week
une semaine plus tard	a week later
demain	to-morrow
demain en huit (quinze)	a week (fortnight) to-morrow
le lendemain	the next day
la première (dernière) fois	the first (last) time
hier	yesterday

(*b*) *Idioms.*

être en train de	to be in the middle of
être sur le point de	to be about to
en avoir assez	to have enough of
s'intéresser à	to take an interest in
jeter un coup d'oeil à	to (cast a) glance at
ne t'en fais pas ... ne vous en faites pas	don't worry about it

Compare difference of meaning of: falloir; devoir; avoir à.

devoir	to be obliged to, must
falloir	to be necessary, to need
avoir à	to have to

Examples:

il **doit** garder la chambre	he *must* stay in his room.
Anne cherche ce qu'il lui **faut**	Anne looks for what she *needs*.
j'**ai à** coudre une robe	I *have to* sew a dress.

Note: the *future* of devoir—je **devrai**; *past participle:* **dû**. The *future* of falloir—il **faudra**; *past participle:* **fallu**.

EXERCISES FOR TEXT 30

1. **Répondez aux questions:** Où est Jacques? Que fait-il? Qu'est-ce qu'il lit? A quoi s'intéresse-t-il? Y a-t-il beaucoup de partis politiques en France? Nommez certains partis. Que trouve-t-on au Sahara? Qui vient dans la chambre de Jacques? Que fait Anne? Que faut-il pour coudre? Qui est Jean? Pourquoi vient-il voir Jacques? Quand auront-ils de nouveau la moto? Que viennent-ils d'acheter?

2. **Complétez avec des pronoms** accentués:

(1) John et Richard rentreront chez ... demain.
(2) Voici Anne et sa mère, nous ne partons pas sans ...
(3) A quelle heure arrivez-vous? ..., j'arrive à quatre heures, c'est-à-dire, une demi-heure avant ...
(4) Voici Richard, allez avec ... à la gare.
(5) Ce journal n'est pas à ...; est-il à ... ?

3. **Complétez avec moi-même** etc.

(1) As-tu cousu cette robe ... ?
(2) Oui, je l'ai faite ...
(3) Nous cultivons notre jardin ...
(4) Nous avons parlé au général ...
(5) Jean et Madeleine ... sont venus nous le dire.

4. **Faites des phrases** avec les expressions au paragraphe 114(*b*).

5. **Traduisez en français** en vous servant des verbes : falloir, devoir, et venir de : He had to do it. We must go. They have just taken the train. You will have to drink the medicine at 4.20. I have to read the paper. He has to write a letter. We shall need more glasses. Did you have to leave early? You had just gone when I came in. I shall be obliged to tell her the truth.

TEXT 31

SI J'ÉTAIS RICHE ...

— Oui, dit Jacques, que ferais-tu si tu gagnais une somme énorme, un million?

— Ah! Ce serait bien difficile de dépenser tant d'argent sagement, répond Madeleine. Je crois que je donnerais d'abord une partie de l'argent à des sociétés charitables; une part aux aveugles, une autre part aux enfants malheureux. Et puis j'achèterais beaucoup d'habits très chers et très élégants : des robes, des manteaux, des souliers ... surtout des souliers ... des gants, des chapeaux, des sacs à main et peut-être une montre en or. Et puis, s'il me restait quelque chose, je le mettrais de côté pour les mauvais jours parce qu'on ne sait jamais ce qui peut arriver; je ferais un bon placement. En tout cas, je continuerais à travailler. (Madeleine est secrétaire dans une grande affaire de Strasbourg.)

— Voilà bien ma soeur! Bien sûr, tout partirait en chiffons! Mon pauvre Jacques, tout le monde sait qu'il y a longtemps que tu fais des yeux doux à Madeleine. Laisse-la, pendant qu'il est encore temps. Tu vois où ton argent irait!

— Ça va, ça va, tais-toi! On ne se battrait pas. Dis-nous plutôt, qu'est-ce que tu ferais, toi, Jean, avec ton argent?

— Oh, moi, j'achèterais une auto et je voyagerais. J'aimerais tant voir le monde. Je voudrais surtout voir l'Extrême-Orient. La civilisation de l'est est si différente de la civilisation de l'ouest. Je voudrais rester plusieurs mois dans chaque pays pour en comprendre toutes les différences. Alors leurs coutumes et leurs habitants ne me seraient plus tout à fait inconnus. Et puis, à mon retour, j'apporterais beaucoup de cadeaux à ma mère ... et ma soeur elle-même recevrait peut-être un bout de tissu pour une robe! Et je reviendrais quand je n'aurais plus d'argent. Pendant mon voyage je me débrouillerais pour dépenser le moins possible pour garder ma liberté pendant longtemps, et puis je repartirais à zéro; je me remettrais au travail et je serais bien content de trouver ma paye à la fin de chaque mois!

— Eh bien, moi, dit Jacques à son tour, je garderais à peu près la moitié de la somme pour me spécialiser. Avec le reste de l'argent je voudrais travailler à la recherche de remèdes pour la guérison de maladies graves. Je m'intéresse à cela depuis quelques années. Il y a trois semaines, nous avions un cas intéressant ...

— Depuis quand es-tu si consciencieux? Depuis que tu es malade toi-même?

Tous les amis rient mais Jacques a l'air bien sérieux.

— Taisez-vous donc, dit-il. Ce n'est pas une plaisanterie. Si j'avais assez d'argent, je voudrais surtout faire des travaux de recherche.

Anne ne prend aucune part à cette conversation. Elle reste toute tranquille dans son coin. Elle coud sans dire un mot. Elle rêve, elle mesure sa robe et elle sait bien ce qu'elle ferait si elle avait beaucoup d'argent. C'est bien simple.

— Nous voudrions bien nous fiancer, John et moi, pense-t-elle. Nous n'aurions pas besoin d'attendre si longtemps ...

GRAMMAR NOTES FOR TEXT 31

115. Conditional tense. This tense is used to express an action which **would** take place **if** conditions permitted. It is formed by adding the verb endings of the Imperfect Tense to the Infinitive of the regular verbs and to the special roots of the irregular verbs (which you have already learned) for the Future Tense.

Example of the use of the Conditional Tense:

Si j'étais riche, j'**achèterais** une auto.
If I were rich, I *should buy* a car.

1st Conjugation (-ER)

je donner**ais**	I should give
tu donner**ais**	you would give
il donner**ait**	he would give
nous donner**ions**	we should give
vous donner**iez**	you would give
ils donner**aient**	they would give

2nd Conjugation (-IR)

je partir**ais**	I should leave
tu partir**ais**	you would leave
il partir**ait**	etc.
nous partir**ions**	
vous partir**iez**	
ils partir**aient**	

3rd Conjugation (-RE)

je vendr**ais**	I should sell
tu vendr**ais**	etc.
il vendr**ait**	
nous vendr**ions**	
vous vendr**iez**	
ils vendr**aient**	

Some irregular verbs

je serais	I should be
je reviendrais	I should return
je ferais	I should do
j'aurais	I should have
je voudrais	I should wish
j'irais	I should go
je recevrais	I should receive

116. The irregular verb SE TAIRE—to keep silent, to be quiet.

je me tais	nous nous taisons
tu te tais	vous vous taisez
il se tait	ils se taisent

Other tenses are regular:

imperfect	je me taisais
future simple	je me tairai

Past Participle: (je me suis) tu

117. Use of il y a meaning 'ago'. When 'il y a' comes **before** an expression denoting **time** it means 'ago' (*not* 'there is').

Examples:

il y a longtemps	a long time *ago*
il y a trois semaines	three weeks *ago*

118. Use of depuis meaning 'since' or 'for' (implying *time*).

Examples:

depuis quand es-tu si consciencieux?	*since* when (or for how long) have you been so conscientious?
depuis que tu es malade?	*since* you have been ill?
j'apprends le français **depuis** deux ans.	I have been learning French *for* two years.

Important note: 'since' and 'for' in this sense are followed by either the Perfect Tense in English and by the **Present Tense** in French (see examples above), or the Pluperfect Tense in English and the **Imperfect Tense** in French.

119. Revision of adverbs of quantity and negatives with 'ne'.

beaucoup d'habits	many coats
assez d'argent	enough money
tant d'argent	so much money
trop d'enfants	too many children
on **ne** sait **jamais**	one *never* knows
je **n'**aurais **plus** d'argent	I should have *no more* money
elle **ne** prend **aucune** part	she takes *no* part (not any)

Note the difference between: la moitié—the half; le reste—the remainder; une partie—a part (of a whole); une part—a share.

EXERCISES FOR TEXT 31

1. Répondez aux questions:

(*a*) Qui aimerait avoir beaucoup d'argent? Que ferait Madeleine si elle avait une grosse somme à dépenser? Qu'est-ce qu'une femme aime acheter? Quel est le métier de Madeleine? Que fait une secrétaire? Que ferait John avec son argent? Aimeriez-vous voyager? Où iriez-vous s'il vous était possible de choisir? A quoi Jacques s'intéresserait-il? Pourquoi? Qu'est-ce que John et Anne voudraient faire? Est-ce que cela vous surprend?

(*b*) Depuis quand apprenez-vous le français? Depuis quand êtes-vous dans cette salle? Depuis quand habitez-vous cette ville? Depuis quand Jacques est-il malade? Depuis combien de temps venez-vous au collège? Savez-vous conduire une auto? Depuis combien de temps?

2. **Mettez le verbe** entre parenthèses au conditionnel:

(1) Si j'étais riche, je (faire) un beau voyage.
(2) Nous (aller) à Paris, si nous avions le temps.
(3) Jacques (se lever) s'il n'était pas malade.
(4) Si elle avait une aiguille, Anne (coudre) sa robe.
(5) Je (parler) si vous vous taisiez.
(6) Si c'était votre anniversaire, il vous (emmener) au cinéma.
(7) Est-ce que vous (venir) s'il faisait beau?
(8) (Pouvoir) — vous répéter la question, s'il vous plaît?
(9) S'ils étaient sages, ils (recevoir) des bonbons.
(10) Je (être) content, si on me donnait de l'argent.

3. **Complétez** avec une phrase au conditionnel:

(1) S'il ne pleuvait pas ...
(2) Si mon ami venait ...
(3) Si je n'étais pas paresseux ...
(4) Si vous n'étiez pas malade ...
(5) Si vous vous dépêchiez ...
(6) Si nous prenions le train ...
(7) Si nous possédions une auto ...
(8) S'il faisait beau ...
(9) Si ma bicyclette n'était pas cassée ...
(10) Si je connaissais la maison ...

4. **Complétez** avec beaucoup de, assez de, tant de, trop de, combien de, plus de, loin de, selon le sens:

(1) Je suis pauvre, je n'ai pas ... argent.
(2) Il y a ... poissons dans la mer.

(3) ... centimes y a-t-il dans un franc?
(4) S'il y a ... cuisiniers, la soupe sera mauvaise.
(5) Il y a ... personnes dans la salle qu'on ne peut pas y entrer.

5. **Traduisez:** Comme il serait agréable de se promener sous le beau soleil de la Côte d'Azur! Nous irions sur la plage. Nous passerions d'un pas lent devant les corps couchés sous les parasols. Les gens nous regarderaient et critiqueraient nos habits et nous ferions de même. Je demanderais à mon amie son opinion sur les vêtements et sur le manque de vêtements des touristes. Ne voudriez-vous pas être à notre place, mesdames ... et messieurs? Hélas! hélas! nous sommes en hiver. Dehors il gèle et il fait du brouillard et tout cela n'était qu'un rêve.

TEXT 32

JOYEUX NOËL

C'est bientôt le 25 décembre . Les magasins ont décoré leurs vitrines. Des cadeaux splendides tentent tous les passants. Bien des gens offrent des cadeaux pour Noël et des étrennes pour le Nouvel An. Pendant la nuit de Noël la tradition veut que le Père Noël entre par la cheminée et pose ses cadeaux dans les souliers rangés près de la cheminée. On avait autrefois des cheminées dans toutes les maisons. Maintenant on a surtout des fourneaux et des poêles; d'autre part, dans les maisons modernes, on se chauffe au chauffage central.

La plupart des gens en France fêtent surtout la soirée de la veille de Noël; c'est le Réveillon. Toute la famille se réunit : grands-parents, enfants, oncles et tantes, neveux et nièces, quelquefois petits-fils et petites-filles. Ils vont à la Messe de Minuit, puis à leur retour, ils mangent le repas de Noël. Aimeriez-vous manger de la dinde aux marrons à deux heures du matin? D'autres gens, pour qui Noël a perdu sa signification religieuse, vont réveillonner au théâtre et au restaurant, mais personne ne mange avant minuit.

Comme partout, chaque famille a ses traditions particulières; chez les uns, les grandes personnes se donnent leurs cadeaux au souper de minuit; chez d'autres, on attend le jour de Noël. Les enfants, eux, trouvent toujours leurs chaussures pleines de bonbons et de jouets le matin de Noël. Encore déshabillés, ils courent les chercher parce qu'ils craignent de ne pas trouver ce qu'ils désirent. Et les questions des tout petits qui croient encore au Père Noël sont les mêmes partout:

— Maman, à quelle heure il est venu, dis, le Père Noël?

— Est-ce qu'il est devenu tout petit pour descendre par la cheminée, ou est-ce qu'il a pris une échelle?

— Est-ce qu'il avait mis des ailes? Est-ce qu'il avait une belle barbe blanche?

— Bien sûr.

— Heureusement que la cheminée n'était pas bouchée!

— Où avait-il laissé son chariot pendant qu'il était descendu chez nous?

— Oh! la belle image!

— Le Père Noël s'est trompé, se plaint un des enfants. Il ne m'a pas laissé le train et les wagons que je lui avais demandés; je lui en avais demandé des bleus et ceux-ci sont jaunes!

— Oui, mais celui-ci a une clef. Regarde, tu peux mettre la locomotive et les wagons en marche, et tu peux mettre des briques dedans.

Les bébés pleurent parce qu'ils ont mangé trop de bonbons. Les pauvres parents sont harassés de questions, mais bientôt les enfants oublient le Père Noël pour jouer avec leurs jouets neufs. Ils construisent, ils dessinent, ils peignent ... tous sont contents.

L'arbre de Noël est naturellement le centre d'intérêt dans beaucoup de familles. On allume les bougies (attention! il ne faut pas se brûler ou brûler la maison). On se réunit autour de l'arbre et on chante des chansons de Noël. En voici une :

Refrain

Il est né, le divin enfant,
Jouez, hautbois, résonnez, musettes.
Il est né, le divin enfant,
Chantons tous son avènement.

1.

Une étable est son logement,
Un peu de paille est sa couchette,
Une étable est son logement,
Pour un Dieu, quel abaissement!

2.

Depuis plus de quatre mille ans
Nous le promettaient les prophètes,
Depuis plus de quatre mille ans,
Nous attendions cet heureux temps.

3.

Ah! qu'il est doux, qu'il est charmant!
Ah! que ses grâces sont parfaites!
Ah! qu'il est doux, qu'il est charmant!
Qu'il est beau, ce divin enfant!

A la fin de la journée, le sommeil gagne tout le monde. On éteint les bougies et les lampes, et on s'endort avec plaisir dans le silence. Bientôt tout le monde dort à poings fermés. Quelle bonne journée!

GRAMMAR NOTES FOR TEXT 32

120. Pluperfect Tense. This tense is used to relate events which happened further back in the past than those which are described by the Perfect Tense. It is formed by using the **Imperfect tense** of the **auxiliary** verb, followed by the **Past Participle** of the **main** verb.

Pluperfect (of verbs with 'avoir' and 'être')

j'avais mis **I had** put	j'étais descendu(e) **I had** come down
tu avais mis	tu étais descendu(e)
il avait mis	il était descendu
nous avions mis	nous étions descendu(e)s
vous aviez mis	vous étiez descendu(e)(s)
ils avaient mis	ils étaient descendus.

Examples of the use of the Perfect and Pluperfect Tenses:

il ne m'**a** pas **laissé** le train et les wagons que je lui **avais demandés**—he *has* not *left* me the train and coaches which I *had asked* him for.

121. Irregular verbs CRAINDRE—to fear: **SE PLAINDRE**—to complain: **ÉTEINDRE**—to put out: **PEINDRE**—to paint.

These verbs have a similar irregularity in the present:

je crains	je me plains	j'éteins	je peins
tu crains		tu éteins	
il craint		il éteint	

nous craignons	nous éteignons
vous craignez	vous éteignez
ils craignent	ils éteignent

Past Participles:

(j'ai) craint	(j'ai) éteint
(je me suis) plaint	(j'ai) peint

122. More expressions denoting **quantity** (see 119)

bien des gens	many people
tous les passants	all the passers-by
la plupart des gens	the majority of people
d'autres gens	other people
les uns ... les autres	some . . . others
chaque famille	each family
quelques cadeaux	some presents (a few)
plusieurs mois	several months

EXERCISES FOR TEXT 32

1. Répondez aux questions: A quelle date est Noël? Comment sont les magasins? Que donne-t-on à Noël? Qui donne les cadeaux? Comment vient-il? Où met-il les cadeaux en France? Comment se chauffe-t-on en France? Que fait-on la veille de Noël? Et le jour de Noël? Qui surtout aime la fête de Noël? Pourquoi? Comment décore-t-on la maison? Que fait-on à la fin de la journée? Que mangez-vous au repas de Noël?

2. Mettez au plus-que-parfait:

(1) Je sors.
(2) Nous chantons.
(3) Vous vous promenez.
(4) Il n'a pas le temps de la faire.
(5) Fais-tu tes devoirs?
(6) Les fillettes arrivent par ici.
(7) Ma soeur s'assied sur cette chaise.
(8) Ne prendront-ils pas ce chemin?
(9) Les chats miaulaient toute la nuit.
(10) Comment a-t-il appris la nouvelle?

3. **Donnez le contraire** des expressions en italiques suivantes:

(1) J'ai *tout.*
(2) Vous les voyez *toujours.*
(3) Il en aura *peu.*
(4) Il *n*'y a *personne.*
(5) Ce compartiment est presque *vide.*
(6) L'auto roule *vite.*
(7) Ecoutez ces *bonnes* nouvelles.
(8) Elle porte une robe *blanche.*
(9) Cette valise est *lourde.*
(10) Il va *bien.*

4. **Mettez le verbe** entre parenthèses au présent:

(1) L'enfant ne (craindre) pas le chien.
(2) Les élèves (se plaindre) du professeur.
(3) Nous (craindre) d'être en retard.
(4) Je (se plaindre) parce que j'ai mal aux dents.
(5) Ne (craindre) rien!
(1) Nous (peindre) la maison en bleu.
(2) (Eteindre) les bougies!
(3) Je ne (peindre) pas bien.
(4) L'eau (éteindre) le feu.
(5) (Peindre) — vous un paysage ou un portrait?

5. **Décrivez Noël chez vous.**

TEXT 33

NOUVEL AN

— Bonne année, bonne santé!

— Je vous la souhaite bonne et heureuse!

— Allons! Venez boire un petit verre; on va boire à la nouvelle année.

— C'est qu'on m'a déjà offert la goutte deux fois aujourd'hui ...

— Ça ne fait rien. Jamais deux sans trois, et ce n'est pas tous les jours le premier janvier. Il faut boire au moins le double des autres jours.

Voilà ce qu'on entend un matin de Nouvel An en France. On va voir les amis et les connaissances. On embrasse tout le monde sur les deux joues. C'est très amusant, surtout au centre et au sud de la France où les gens sont plus exubérants qu'au nord; il arrive que deux hommes d'âge mûr se rencontrent, se serrent la main et s'embrassent en se tapant sur le dos. Puis ils vont boire à l'année nouvelle dans le café le plus proche. Ainsi tout le monde est un peu gai à la fin de la matinée et l'année a bien commencé.

La plupart des Français réveillonnent aussi le soir du trente et un décembre avec leurs amis. Les uns vont au théâtre, d'autres vont danser, d'autres encore passent la soirée à la maison et reçoivent l'année nouvelle un verre de vin chaud à la main.

Voulez-vous savoir comment préparer le vin chaud? C'est très facile :

Achetez du vin rouge ... n'achetez pas un vin cher, ce n'est pas nécessaire ... versez-le dans une marmite ou dans une grande casserole, ajoutez un tiers d'eau environ, chauffez (attention, il ne faut pas le bouillir), ajoutez du sucre, du citron et de la cannelle à votre goût et servez tel quel dans un pot très chaud; vous verrez, c'est très bon, mais n'en buvez pas trop quand même; autrement il vous montera à la tête.

Dans la mesure du possible, tout le monde prend de bonnes résolutions pour l'année nouvelle, mais combien de temps dureront les meilleures intentions de chacun? Comme partout, on prend des décisions ... on se lèvera ou on se couchera plus tôt ... on fumera moins de cigarettes, on mangera moins de chocolat, mais au bout de trois semaines, est-ce qu'on tient encore ses résolutions? Peut-être comme-ci comme-ça? Au fond on sait très bien qu'on ne les tiendra pas très longtemps. Pour un jour, tout de même, les ennemis sont redevenus amis et personne n'est méchant.

Très souvent la neige est là; je ne parle pas de la neige sale et laide des villes, mais de la neige toute blanche des montagnes. Elle n'est nulle part aussi jolie que sur les sapins verts des montagnes des Vosges. Si le temps est beau, Jacques et ses amis vont skier le jour de Nouvel An. Si nous avions le temps et l'argent, nous aimerions bien faire comme eux.

Quand il gèle, les jeunes enfants jouent sur la glace du lac. S'il neige vraiment très fort, il faut prendre des pelles et des pioches et puis creuser un chemin devant la porte d'entrée. Les enfants se jettent dans les tas de neige molle et ramassent la neige à pleines mains pour faire des boules de neige. Dans les montagnes il ne fait jamais de brouillard et l'hiver est une saison attendue avec impatience par tous les jeunes.

GRAMMAR NOTES FOR TEXT 33

123. Use of Reflexive Pronouns.

(*a*) Certain verbs are known as Reflexive verbs because they are used with reflexive pronouns, such as:

se dépêcher	to hurry (up)

(*b*) Other verbs are generally used reflexively but can sometimes have an object other than a reflexive pronoun, in which case they are not reflexive:

Je me lave de bonne heure	I wash early (reflexive)
Elle **lave l'enfant** dans la salle de bain	she washes *the child* in the bathroom
Tu te réveilles à minuit	you wake up at midnight (reflexive)
Vous **réveillerez les garçons** avant de partir	you will wake up *the boys* before leaving

(*c*) The French often prefer to make verbs reflexive when there is no other object to the verb (although we do not do so in English). A reflexive pronoun used in this way in French is not translated in English. Often such sentences are translated by the passive voice.

La porte **s'ouvre**	the door *opens* (itself)
La lumière **s'éteint**	the light *is put out* (lit. puts itself out)
La route **se trouve** à droite	the road *is* (finds itself) on the right

(*d*) The reflexive pronouns can not only mean 'myself, himself, ourselves' (me, se, nous, etc.) but also 'each other'.

Ils **se** donnent des cadeaux	They give *each other* presents
Deux hommes **se** rencontrent et **se** serrent la main	Two men meet *each other* and shake hands
Nous **nous** souhaitons 'Bonne Année'	We wish *each other* 'Happy New Year'

124. Agreement of Past Participles of reflexive verbs. In the Grammar Notes on Text 21 you learned that the **past participle** must show agreement with the **reflexive pronoun** when it is the **Direct Object** of the verb. There is **no** agreement when the reflexive pronoun is the **Indirect Object** of the verb. Put the three examples of (*d*) into the perfect tense:

(*a*) ils **se** sont donné des **cadeaux**	they gave presents *to each other*

(no agreement because 'cadeaux' is the Direct and 'se' only the Indirect Object)

(*b*) deux hommes **se** sont rencontr**és** et **se** sont serr**é** la **main**	two men met *each other* and shook hands

(agreement of the first past participle because 'se' here is the Direct Object. No agreement of the second because 'main' is the Direct and 'se' only the Indirect Object) (*c*) nous **nous** sommes souhaité **'Bonne Année'** — we wished (to) *each other* 'Happy New Year'

(no agreement because 'Bonne Année' is the Direct and 'nous' is only the Indirect Object)

125. Revision of Comparatives and **Superlatives** of adjectives.

You will remember that Comparatives are formed by putting

plus / moins / aussi } before and 'que' after the adjective.

Examples:

... où ils sont **plus** exubérants **que** dans le nord ...
il fait **moins** chaud aujourd'hui **que** lundi
elle n'est nulle part **aussi** jolie **que** sur les sapins ...

Superlatives are formed by putting le (la, les) plus before the adjective.

Examples:

le café **le plus** proche — **La plus** belle neige.

But: les **meilleures** (*not* les plus bonnes) intentions.

126. Words to note:

le matin ... la matinée	the morning
le soir ... la soirée	the evening
l'an ... l'année	the year

The feminine form is used to denote the duration of time.

Example: tout le monde est gai à la fin de la matinée.

Use of 'comme'

	comme partout	as everywhere
	comme eux	like them
(idiom)	comme-ci, comme-ça	so-so, fairly well

Other idioms:

tel quel	just as it is
dans la mesure du possible	as far as is possible

EXERCISES FOR TEXT 33

1. **Répondez aux questions:** A quelle date est Nouvel An? Que dit-on à ses amis? Comment reçoit-on la nouvelle année? Que fait-on la veille du premier janvier? Quelle différence y a-t-il entre Nouvel An et Noël? Que boit-on souvent à minuit pour recevoir la nouvelle année? Comment fait-on le vin chaud? Prenez-vous de bonnes résolutions? Les gardez-vous? Combien de temps? Savez-vous skier? Peut-on skier en Angleterre? En Ecosse? Au Pays de Galles?

2. **Faites deux phrases** avec chacun des verbes suivants, (*a*) à la forme non réfléchie et (*b*) avec un pronom réfléchi.

(*Exemple:* rencontrer.
Anne rencontre une amie dans le magasin.
Les voyageurs se rencontrent à l'entrée du musée.)

écrire : parler : ouvrir : lever : montrer : habiller : fermer : trouver : réveiller : regarder.

3. **Mettez au comparatif** (plus, moins, aussi ... que)

(*Exemple:* Anne est-elle grande (Richard)?
Anne est-elle moins grande que Richard?)

(1) Les Alpes sont hautes (les Vosges).
(2) Les Vosges sont hautes (les Alpes).
(3) Strasbourg est une grande ville (Paris).
(4) Le ski est un sport intéressant (le football).
(5) La cuisine française est bonne (la cuisine anglaise).
(6) Fait-il chaud en été (hiver)?
(7) Le vin de cette année est-il bon (de l'année dernière)?
(8) Cette année le printemps est avancé (en 1961).
(9) Etes-vous heureux en ville (à la campagne)?
(10) Vous aimez bien les roses (les violettes).

4. **Traduisez en français,** prenant soin de vous servir du temps juste:

(*a*) As it is fine to-day, we shall go for an excursion in the country. We shall prepare a picnic and we shall eat it in the meadow where we used to play when we were children. 'Is everything ready? Hurry up or we shall leave without you!'

(*b*) I went to the market yesterday and saw some peaches which were lovely. I bought some and we ate them for lunch. Would you have liked to eat some for your lunch? After the meal we drank some coffee. At 2-35, we are going to the cinema. My friend saw the film yesterday and he told me (that) it was very good.

5. **Faites cinq phrases** au comparatif et cinq phrases au superlatif en vous servant des adjectifs suivants :

beau — tranquille — froid — heureux — bon.
(N'oubliez pas l'accord de l'adjectif avec le nom de votre choix.)

TEXT 34

EN REVENANT D'ANGLETERRE

Vous vous rappelez sans doute qu'Anne et Richard étaient invités chez John pour les fêtes de Noël et du Nouvel An. Jacques était resté chez ses parents. Voilà maintenant le frère et la soeur sur le chemin du retour. Ils sont en train de manger dans le restaurant du bateau Douvres-Calais, car ils ont faim et ils ont soif.

— Richard, je veux te dire quelque chose, dit Anne.

— Tu me le diras quand nous aurons fini de manger. Je crois que je sais pour quelle raison tu veux me parler. Dès que tu auras bu ton café, nous chercherons un coin tranquille où nous pourrons parler.

Quelques minutes plus tard, ils vont à l'avant du bateau et, penchés sur la barre de fer, ils regardent la mer.

— Vous voudriez bien vous fiancer, John et toi, n'est-ce pas? Tu ne peux rien me cacher.

— Oui, mais ce n'est pas facile. Qu'est-ce que papa et maman diront? Crois-tu qu'ils se mettront en colère?

— Probablement pas. L'Angleterre n'est pas au bout du monde et ils aiment bien John. Ils vous diront sans doute de vous marier seulement quand John aura fini ses études, quand il aura trouvé un poste.

— Et toi, est-ce que tu es content de ce projet? Qu'est-ce que tu en penses?

— Moi, j'en suis ravi, tu le sais bien. J'aimerais beaucoup avoir John comme beau-frère. Et puis, ce serait bien commode pour moi d'avoir de la famille en Angleterre; si je deviens professeur, je pourrai y aller de temps en temps pour voir ce qu'il y a de nouveau!

— Je veux apprendre à parler anglais aussi bien que possible. Est-ce que tu me donneras des leçons?

— Bien sûr, je t'en donnerai. Si tu veux, je te parlerai toujours anglais. Ça te servira plus que la sculpture!

— Ne m'en parle pas! J'ai eu tort de la choisir et je suis bien punie de n'avoir pas écouté Papa. Je crois que je vais abandonner l'art pour des études plus utiles. J'apprendrai peut-être la comptabilité et je pourrai ainsi trouver une place dans une affaire d'importation et d'exportation quand je saurai bien les deux langues.

— Pourquoi est-ce que tu ne ferais pas du dessin industriel? Ce serait plus intéressant pour toi et tu habiteras un pays où on a besoin de dessinateurs.

— C'est une bonne idée. Je peins mal mais je dessine bien. J'en parlerai à Papa et à Maman quand nous serons de retour, dit Anne. Merci bien de tes conseils, Richard.

Le lendemain, Anne a parlé à ses parents de ses projets et de ceux de John. Naturellement, Monsieur et Madame Bourjois lui ont donné toutes sortes de conseils raisonnables.

—Je suis d'accord que la sculpture ne t'aidera à rien, ma pauvre Anne, a dit le docteur. Je te l'ai dit quand tu as commencé mais tu n'as pas écouté. Si tu avais suivi des leçons de commerce, tu aurais presque fini et tu serais sur le point de chercher du travail.

— Que veux-tu, mon ami, ce qui est fait, est fait, a répondu Madame Bourjois. Est-ce que le commerce t'intéresserait, Anne?

— Non, pas du tout, je n'aime pas les chiffres. Si je pouvais choisir, je préférerais faire du dessin industriel, comme Richard l'a suggéré.

— Naturellement, tu peux choisir. Tu le sais bien, ma fille.

Les Bourjois continuent à parler de l'avenir, Anne et Richard sont pleins de confiance. Ils ont raison : faire des projets, c'est le privilège de la jeunesse, n'est-ce pas?

GRAMMAR NOTES FOR TEXT 34

127. Future Perfect and **Conditional Perfect** tenses. These two tenses are formed by using the future and conditional tenses of the auxiliary verbs, followed by the past participles of the main verbs.

Future Perfect		*(with être)*
j'**aurai** fini	I shall have finished	je **serai** parti(e)
tu auras fini	you will have finished	tu seras parti(e)
il aura fini	he will have finished	il sera parti
nous aurons fini	we shall have finished	nous serons parti(e)s
vous aurez fini	you will have finished	vous serez parti(e)(s)
ils auront fini	they will have finished	ils seront partis

Conditional Perfect		*(with être)*
j'**aurais** dit	I should have said	je **serais** sorti(e)
tu aurais dit	you would have said	tu serais sorti(e)
il aurait dit	he would have said	il serait sorti
nous aurions dit	we should have said	nous serions sorti(e)s
vous auriez dit	you would have said	vous seriez sorti(e)(s)
ils auraient dit	they would have said	ils seraient sortis

128. Use of the Future Tense (continued from 94). In lesson 25 we saw that the Future tense is often used in French where the Present tense is used in English.

Examples:

il fera ce qu'il **voudra** (future) — he will do as he *likes* (present)

The **Future tense** is also used in clauses introduced by **'quand'** and **'dès que'** when the main clause is in the future.

Examples:

Tu me le diras **quand** tu **auras fini** de manger.	You will tell me *when* you (will) *have finished* eating.
Ils vous diront de vous marier **quand** John **aura fini** ses études.	They will tell you to marry *when* John *has* (shall have) *finished* his studies.
Dès que tu **auras bu** ton café nous chercherons un coin ...	*As soon as* you (will) *have drunk* your coffee, we shall find a corner . . .

129. Summary of Tenses. You have now learned the Present, Imperfect, Future and Conditional (known as the 'simple' tenses) and the Perfect, Pluperfect, Future and

Conditional Perfect (known as the 'compound' tenses). Each simple tense has its counterpart in the compound tense.

Present (simple)		*Perfect* (compound)	
j'ai	I have, am	j'ai mangé	I have eaten
tu as	having	tu as mangé	
il a etc.		il a mangé etc.	
Imperfect		*Pluperfect*	
j'avais	I was having, I	j'avais dormi	I had slept
tu avais	had, I used	tu avais dormi	
il avait	to have	il avait dormi	
Future		*Future Perfect*	
j'aurai	I shall have	j'aurai vendu	I shall have sold
tu auras	you will have	tu auras vendu	
il aura	he will have	il aura vendu	
Conditional		*Conditional Perfect*	
j'aurais	I should have	j'aurais dit	I should have said
tu aurais	you would have	tu aurais dit	
il aurait	he would have	il aurait dit	

Verbs conjugated with être follow the same rules:

je suis	I am	je suis venu(e)	I have come
j'étais	I was (being)	j'étais venu(e)	I had come
je serai	I shall be	je serai venu(e)	I shall have come
je serais	I should be	je serais venu(e)	I should have come

130. Revision of phrases formed with 'avoir'

avoir faim	to be hungry
avoir soif	to be thirsty
avoir raison	to be right
avoir tort	to be wrong
avoir besoin (de)	to need, to have need of
avoir mal à la tête	to have a headache
avoir mal aux dents	to have toothache
avoir mal au pied	to have a pain in the foot
avoir envie (de)	to have a mind to, to want
avoir lieu	to take place

EXERCISES FOR TEXT 34

1. Répondez aux questions: D'où viennent Anne et Richard? Où sont-ils en ce moment? Que feront-ils quand ils auront fini de manger? Quelles sont les intentions d'Anne? Qu'en pense Richard? Anne, que pourrait-elle étudier de plus utile que la sculpture? Quelle est la réaction de Monsieur et de Madame Bourjois? Aimez-vous faire des projets? Quelle est votre profession à vous? En êtes-vous content?

2. Mettez les verbes entre parenthèses.

(*a*) *au futur antérieur* (future perfect):

(1) Quand je (acheter) cette cravate, je (dépenser) tout mon argent.
(2) John (voir) tout Paris à la fin de ses vacances.
(3) Henri et Paul (rentrer) plus tôt que les autres garçons.
(4) Vous (revenir) avant le départ du train.
(5) Je dormirai dès qu'ils (partir).

(*b*) *au conditionnel passé* (conditional perfect):

(1) Si on m'avait demandé mon avis, je le lui (donner).
(2) Le chat (tomber), si la branche ne l'avait pas retenu.
(3) Vous (être) au premier rang, si vous étiez venu plus tôt.
(4) S'il avait fait chaud, nous (pouvoir) nous baigner.
(5) Les garcons (descendre), si le patron ne les en avait pas empêchés.

3. Traduisez en français:

(1) We shall go out when my father arrives.
(2) As soon as he has finished his homework, he will watch T.V.
(3) When the car passes, you will see the princess.
(4) They will get married as soon as he has a job.
(5) When he whistles, the game will begin.

4. (Revision of expressions of time) **Complétez avec des expressions de temps:**

(1) Jacques est au lit parce que ... il a eu un accident.
(2) C'était ... qu'il allait à motocyclette.

(3) Le premier jour de son accident il était malade, mais ... il allait mieux.
(4) J'ai eu de ses nouvelles ..., et nous irons le voir ...
(5) La moto est au garage et nous pourrons la chercher ...

5. **Faites des phrases** avec des expressions du paragraphe 130.

TEXT 35

EN FAMILLE

La semaine dernière, Anne et Richard sont revenus d'Angleterre et Anne a fait connaître ses projets à ses parents.

Après avoir parlé de l'avenir de leurs enfants, le docteur et sa femme parlent de leurs intentions à eux.

— Si nous avions le temps, nous aimerions bien partir en vacances pour quelques jours, votre mère et moi.

— Ne pourrais-tu donner tes malades au docteur Roche, papa?

— Oui, ce serait possible, en ce moment.

— Où aimeriez-vous aller?

— En Suisse. Nous aimons beaucoup marcher; nous voudrions aller dans une petite ville près d'Interlaken où il n'y a ni autos, ni motos, ni trams, ni autobus ... Je crois que je vais essayer de téléphoner au docteur Roche maintenant!

Après avoir téléphoné au docteur Roche qui était d'accord tout de suite, Monsieur Bourjois est revenu au salon en se frottant les mains.

— Si tout va bien, s'il n'y a pas de cas urgent, nous pourrons partir la semaine prochaine.

— Quel jour? Je voudrais faire des commissions à Strasbourg avant de partir.

— Nous pourrons nous mettre en route samedi prochain, si ça te va?

— Oh, oui, j'aurai bien le temps de me préparer.

— N'oubliez pas l'appareil de photos, dit Richard. Vous pourrez faire de belles photos dans la neige.

En trois jours les préparatifs sont faits. Monsieur Bourjois a fait réserver deux places dans le train et il s'est assuré que les passeports sont en ordre. Ils sont en effet encore valables, parce que les Bourjois sont allés passer une journée à Bâle il y a quelques mois. D'ailleurs, il suffit maintenant d'une carte d'identité pour aller en Suisse. Après être allé à la banque chercher de l'argent suisse, le docteur a acheté des chèques de voyage. Tous les touristes savent que ceux-ci sont très utiles.

Le docteur a fait cadeau à sa femme d'un chèque qui lui permettra de s'achcter des habits neufs pour le voyage. Il fera froid en montagne en cette saison de l'année. La plupart des touristes seront des skieurs. Madame Bourjois est allée en ville chercher des vêtements de laine et des pantalons de ski. Après s'être promenée en ville, elle s'est reposée un peu dans un café.

Monsieur Bourjois et sa femme font du ski. Chaque hiver ils disent qu'ils sont trop vieux, mais chaque hiver ils reprennent leurs skis et partent le dimanche quelque part dans les Vosges. Savez-vous skier? C'est un sport très agréable, même au début. Après tout, si on a peur et si on ne sait pas comment s'arrêter, on peut toujours se laisser tomber. Et si on n'a pas peur, si on se laisse aller, (ce qui est la meilleure des choses), eh bien, on a l'impression de voler.

Les Bourjois sont allés au bord de la mer pour une quinzaine de jours il y a à peu près deux ans. L'année dernière, ils ne sont pas partis; ils sont donc très contents de s'en aller cette année. Il y a longtemps que Monsieur Bourjois attend l'occasion de laisser ses soucis derrière lui; et toutes les femmes comprendront pourquoi Madame Bourjois est heureuse de quitter sa maison pour quelques jours et pourquoi elle prépare les valises en chantant.

La semaine a vite passé; heureusement, les malades ne sont pas trop nombreux et les Bourjois s'en vont tranquillement. A a gare Monsieur Bourjois fait enregistrer les bagages pendant que Madame Bourjois cherche les places réservées dans le train. Le train part à l'heure juste et Monsieur et Madame Bourjois sont en route.

Nous les retrouverons en Suisse la semaine prochaine.

GRAMMAR NOTES FOR TEXT 35

131. Infinitives after 'après'. After all prepositions (de, à, pour, etc. **except** 'en') **verbs are in the infinitive.** After the preposition 'après', however, the verb must be in the past or perfect infinitive. Whereas we say in English: *after telephoning* the doctor, she went home, the French say: **après avoir**

téléphoné au docteur, elle est rentrée (after having (to have) telephoned the doctor . . .). Thus, 'après' must always be followed by the verbs **'avoir' or 'être' in the infinitive** and the past participle of the main verb.

Examples:

Après avoir parlé de l'avenir ... ils parlent du présent.	*After speaking* of the future . . . they speak about the present.
Après être allé à la banque, il a acheté de l'essence.	*After going* to the bank, he bought some petrol.
Après s'être promenée en ville, elle s'est reposée un peu.	*After walking* about the town, she rested a little.

132. Use of 'faire' with an infinitive, meaning to have something done.

Examples:

Anne **a fait savoir** ses plans à ses parents.	Anne *has made known* her plans to her parents.
Monsieur Bourjois **a fait réserver** deux places.	Mr. Bourjois *has had* two seats *reserved*.
Il **fait enregistrer** les bagages.	He *has* the luggage *registered*.

133. Verbs meaning 'to leave'—laisser, quitter, partir.

laisser means to let, allow, or to leave behind.
quitter means to leave but **must always** have a **direct object.**
partir means to leave or to depart but **never** has a **direct object.**

Examples:

On peut se **laisser** tomber.	One can *let* oneself fall.
J'ai laissé mes gants sur la table.	I've *left* my gloves (behind) on the table.
Madame Bourjois est heureuse de **quitter** la **maison** (dir. obj.)	Mrs. Bourjois is glad *to leave* the *house*.
Le train **part** à l'heure juste. (no direct object)	The train *leaves* on time.

Compare '*s'en aller*'—to go away, and '*sortir*'—to go out.

Les Bourjois s'en vont tranquillement.
Ils sortent de la maison à huit heures.

134 Clauses introduced by 'si'—if. In paragraph 128 you saw that 'quand' and 'dès que' require the future tense in French. Clauses introduced by 'si', however, have exactly the same sequence of tenses as in English:

When the 'si' clause is in	the main clause is in:
(*a*) the Present	(*a*) the Future
(*b*) the Imperfect	(*b*) the Conditional
(*c*) the Pluperfect	(*c*) the Conditional Perfect

Examples:

(*a*) **Si** tout **va** bien, nous **pourrons** partir la semaine prochaine
(*If* all *goes* well, we *shall be able* to leave next week.)
(present) (future)

(*b*) **Si** nous **avions** le temps, nous **aimerions** partir en vacances.
(If we *had* the time, we *should like* to go on holiday.)
(imperfect) (conditional)

(*c*) **Si** tu **avais suivi** des leçons, tu **aurais** presque **fini.**
(If you *had followed* the lessons, you *would* almost *have finished.*)
(pluperfect) (conditional perfect)

EXERCISES FOR TEXT 35

1. Répondez aux questions: Quelles sont les intentions de Monsieur et de Madame Bourjois? Pourquoi est-il difficile au docteur Bourjois de s'absenter? Que doit-il faire quand il part en vacances? Où aimerait-il aller avec sa femme? Quels préparatifs doivent-ils faire? Comment se sert-on des chèques de voyage? Que vont-ils faire en Suisse? Qu'est-ce qui arrive souvent quand on skie? Pourquoi les femmes aiment-elles aller en vacances?

2. Changez la première partie de la phrase en vous servant de 'après avoir' ou de 'après être'.

Exemple:

J'ai acheté un billet et je suis allé au cinéma.
Après avoir acheté un billet, je suis allé au cinéma.

(1) Vous étudiez cette leçon et vous êtes fatigué.
(2) Les Bourjois sont arrivés à la gare et ils ont pris le train.
(3) Le chauffeur a acheté de l'essence et il a cherché son maître.
(4) Vous chauffez le vin et vous le buvez.
(5) Nous payons le taxi et nous entrons dans le théâtre.
(6) Les lions sortent de leur cage et ils sautent sur la foule.
(7) Vous vous lavez les mains, vous vous mettez à table.
(8) Les enfants ont vu la fête et ils étaient contents.
(9) Je me promène à bicyclette et je rentre à la maison.
(10) Ils sont venus en auto et ils sont rentrés par le train.

3. **Complétez avec les verbes** partir, laisser, quitter selon le sens :

(1) J'ai ... la maison, mais j'y ai ... mon portefeuille.
(2) Nous ... à quatre heures.
(3) Ils ne ... pas de traces de leur passage.
(4) Depuis combien de temps est-il ... ?
(5) Les Bourjois n'ont pas ... la Suisse en auto.
(6) La dame a ... tomber son sac.
(7) ... vos bagages ici!
(8) Ne ... pas cet enfant. Ne ... pas cet enfant au bord de la route.
(9) L'autobus ... à cinq heures.
(10) Le train ... la gare lentement.

4. **Faites des phrases** avec les expressions suivantes :

faire construire; faire faire; faire savoir; faire danser; faire sortir.

5. **Mettez le verbe** entre parenthèses au temps requis :

(1) S'il vient je (partir).
(2) Si nous recevons la lettre aujourd'hui, nous lui (répondre).
(3) Nous aurions acheté un livre, si nous (avoir) le temps.
(4) Si l'ennemi avance, les soldats (se battre).

(5) Auriez-vous chanté, si vous (avoir) mal à la tête?
(6) Si elles (prendre) le train, elles arriveraient à temps.
(7) L'enfant aura du chocolat, s'il (être) sage.
(8) Si vous aviez roulé vite, vous (avoir) un accident.
(9) Les jeunes filles (être) plus jolies, si elles dormaient plus longtemps.
(10) John (ne pas perdre) son portefeuille, s'il avait fait attention.

TEXT 36

UNE COÏNCIDENCE

Monsieur Bourjois téléphona d'Interlaken à Wengen et trouva facilement un hôtel qui avait des chambres libres. Il en loua donc une pour sa femme et lui, puis ils allèrent tous deux jusqu'au bout de la vallée où ils laissèrent l'auto au pied de la montagne.

Dehors, il faisait froid mais sec et on sentait le printemps dans l'air. La neige avait déjà un peu fondu ici et là, mais elle devenait de plus en plus épaisse au fur et à mesure qu'ils montaient. En haut, ils furent reçus par le porteur de l'hôtel qui s'occupa de leurs bagages. Ils arrivèrent à l'hôtel. Ils remplirent leurs fiches, puis on leur montra leur chambre. C'était une agréable chambre carrée, avec vue sur la vallée. A côté de la chambre se trouvait un petit cabinet de toilette avec une douche et un lavabo. Ils se reposèrent une heure et descendirent dîner. L'hôtel était maintenant complet. Il y avait des gens de toutes les nationalités. On entendait parler toutes les langues, surtout le français, l'allemand et l'anglais.

Quand ils entrèrent dans la salle à manger de l'hôtel elle était presque pleine. Ils s'assirent en s'excusant en face d'un couple de leur âge à peu près. C'était des Anglais qui savaient très bien le français. Les Bourjois entrèrent bientôt en conversation avec eux. Ils allèrent ensemble au salon prendre le café. L'Anglais se présenta :

— Je suis Bernard Jones. En vérité, il est faux de dire que je suis anglais, je suis né au Pays de Galles.

— Enchanté, Monsieur. Moi, je suis le docteur Bourjois et ...

— Vous êtes médecin ! Mais moi aussi. Est-ce que vous êtes ici pour longtemps ?

— Si tout va bien, nous espérons rester ici une semaine. Un de mes collègues me remplace, mais nous vivons dans une petite ville et ce n'est pas aussi facile que dans une grande ville.

— Oh! je ne sais pas ... C'est toujours un problème de prendre des vacances dans notre profession. Les gens ne s'en rendent pas compte.

Pendant que les messieurs parlaient de leur métier, les dames parlaient de leurs ménages et de leurs enfants.

— J'ai seulement une fille, dit Mrs. Jones. Elle vient de se marier. La maison est un peu vide maintenant.

— Ma fille est fiancée à un jeune Anglais. C'est un jeune homme charmant et très sérieux, mais j'ai le coeur serré de la voir partir si loin de nous.

— Vous ne pouvez pas empêcher les enfants de s'en aller.

— Oh, nous ne les en empêchons pas, mais c'est quand même dur.

— Ne vous plaignez pas : ma fille est partie en Australie avec son mari. Il est déjà directeur d'une usine là-bas, alors que chez nous il lui serait impossible d'avoir un poste aussi élevé à son âge.

— Je ne me plains plus maintenant; vous avez plus de courage que moi.

— Que voulez-vous! L'amour n'a pas de frontière et c'est une bonne chose. Le fils d'une de mes amies vient de se fiancer à une jeune Française très gentille. Elle ne sait pas bien l'anglais mais elle l'apprendra vite quand elle sera mariée. Je ne sais pas son nom de famille, elle s'appelle Anne.

— Anne! mais c'est le nom de ma fille. Où habitez-vous Madame?

— A Bolton, au nord de l' Angleterre. Nous avons quitté le Pays de Galles il y a dix ans déjà.

— A Bolton! mais John vient de Bolton!

— John? Le fiancé de votre fille ne s'appelle pas John Taylor?

— Mais si!

— Eh bien, c'est le jeune homme dont je viens de vous parler. Je connais très bien les Taylor et j'ai passé une soirée avec votre fille et votre fils quand ils étaient en Angleterre à Noël. Quelle coïncidence!

GRAMMAR NOTES FOR TEXT 36

135. Past Historic Tense. You have learned to use two past tenses:

(1) the **Perfect**, which is used to describe **one completed action.**

(2) the **Imperfect** which is used to describe (*a*) a **repeated** action, (*b*) an **unfinished** action and (*c*) a **description.**

Now we have

(3) the **Past Historic** which is used in books, newspapers, reports, etc. to describe one completed action in the past.

Note: You will never use this tense in conversation or letter but you must learn to recognise it in your reading.

The Past Historic is formed as follows:

-ER verbs	*-IR and*	*-RE verbs*
je trouv**ai** I found	je fin**is** I finished	je vend**is** I sold
tu trouv**as**	tu fin**is**	tu vend**is**
il trouv**a**	il fin**it**	il vend**it**
nous trouv**âmes**	nous fin**îmes**	nous vend**îmes**
vous trouv**âtes**	vous fin**îtes**	vous vend**îtes**
ils trouv**èrent**	ils fin**irent**	ils vend**irent**

Note: There is no difference in the endings of the *-IR* and *-RE* verbs but certain verbs ending **in** *-OIR* and *-OIRE* have:

je voul**us** I wished	je reçus (recevoir)
tu voul**us**	je crus (croire)
il voul**ut**	je pus (pouvoir)
nous voul**ûmes**	je sus (savoir)
vous voul**ûtes**	je bus (boire)
ils voul**urent**	je dus (devoir)

Note: Verbs 'lire', connaître', and 'courir' also belong to this group, but **'voir'** has je **vis**, tu **vis,** il **vit** etc.

Examples of the use of the various past tenses:

Jean m'**a dit** qu'il **est allé** au cinéma hier (perfect).
Ma fille **est partie** en Australie avec son mari (perfect).

M. Bourjois **téléphona** à Wengen et **trouva** facilement un hôtel qui **avait** des chambres libres (past historic and imperfect).

136. Irregular Past Historic of avoir and être.

j'eus I had	je fus I was
tu eus	tu fus
il eut	il fut
nous eûmes	nous fûmes
vous eûtes	vous fûtes
ils eurent	ils furent

137. Relative Pronoun dont (see 37 and 95). You have already learned the relative pronouns 'qui' and 'que'—'who, which, that' etc., but instead of saying 'de qui' for 'of which, of whom,' there is a special word **dont**—*of whom, of which, whose.*

Examples:

le garçon **dont** je viens de vous parler est ici	the boy *of whom* I have just been speaking, is here
cette fleur **dont** je ne sais pas le nom est bleue.	this flower *whose* name I do not know, is blue.

138. Idioms.

au fur et à mesure	gradually, as
se rendre compte (de)	to get a clear idea of, to realize
entendre parler (de)	to hear (spoken) (of)
avoir le coeur serré	to be very sad at heart

EXERCISES FOR TEXT 36

1. Répondez aux questions: Qu'a fait Monsieur Bourjois pour louer des chambres? Quel temps faisait-il? Comment était la neige? Qu'ont-ils fait avant le dîner? Qui était à la table à côté des Bourjois? D'où venaient-ils exactement? Quelle était la profession de Monsieur Jones? De qui parlent les dames? Où est la fille de Madame Jones? Pourquoi est-elle partie si loin? Que fait son mari? Qui est-ce que M. et Mme. Jones connaissent bien?

2. Traduisez en anglais: Louis XIV régna en France de 1643 à 1715. Il eut d'excellents ministres qui travaillèrent tous à la prospérité de la France. A l'extérieur il remporta de nombreuses victoires qui apportèrent beaucoup de gloire; mais les guerres finirent par épuiser le pays. Louis XIV fut un roi absolu; il prit toutes les décisions lui-même; il fit de son mieux son 'métier de roi'. Sous son règne les lettres et les arts atteignirent (to reach) un haut degré de perfection. Ce grand roi fut appelé le 'Roi Soleil'.

3. Complétez avec qui, à qui, que, qu', dont, selon le sens :

(1) L'homme ... je vois est le docteur.
(2) Avez-vous lu la lettre ... John a envoyée?
(3) ... est ce livre?
(4) L'enfant ... il parle est malade.
(5) La maison ... la porte est ouverte est à lui.
(6) Où as-tu mis le paquet ... est arrivé ce matin?
(7) Voici tous les outils ... j'ai besoin.
(8) C'est une histoire ... vous connaissez.
(9) Racontez-moi l'histoire ... on m'a parlé.
(10) C'est lui ... a pris ces photos.

4. Donnez l'imparfait, le futur, le passé historique et le passé composé des verbes suivants, à la personne indiquée.

(1) (Nous) prendre : tomber : vouloir.
(2) (Ils) boire : savoir : croire.
(3) (Je) finir : courir : offrir.
(4) (Vous) vendre : lire : sortir.
(5) (Elle) se promener : s'asseoir : coudre.

5. Décrivez votre saison préférée.

TEXT 37

QUAND LE CHAT EST PARTI, LES SOURIS DANSENT

Jacques s'arrangea pour ne pas être de service à l'hôpital pendant l'absence de son père et il revint à Obernai où nous le retrouvons. Il aide le docteur Roche tant qu'il peut mais il n'a pas encore fini ses études et n'a pas le droit de visiter les malades tout seul. De toute façon il est à la maison et reçoit les coups de téléphone.

Anne et Richard viennent le rejoindre pour le week-end; ils seront bientôt suivis de leurs amis; puisque la maison est à eux pour quelques jours, ils ont invité des amis pour le samedi et le dimanche. Samedi matin Anne a beaucoup de travail. Elle s'arme de balais et nettoie la maison de haut en bas; elle balaye dans tous les coins. Elle essuie et frotte les meubles jusqu'à ce que tout soit brillant. Il faut que tout soit propre quand ses amis arrivent. Enfin toute la poussière est enlevée. Anne lave aussi les vitres et les glaces. Il faut que Richard s'occupe du chauffage pour que la maison soit bien chaude. Quand elle a fini le ménage, Anne va à la cuisine où elle cuit un rôti de veau avec du riz pour ses frères. Pendant que sa viande et ses légumes cuisent, il faut qu'elle prépare la pâte des gâteaux. La table est couverte de farine, de graisse, d'oeufs, enfin de tout ce qu'il faut à une bonne cuisinière.

Les garçons préparent le phono et les disques. Quand tout le monde aura mangé, ils rouleront le tapis de façon à ce qu'ils puissent danser. Bientôt tout est prêt. Il fait bien chaud à l'intérieur, malgré le froid au-dehors. Voilà les invités qui arrivent dans une vieille camionnette. Ils sont huit; il y a des jeunes gens et des jeunes filles. Ils ont froid quoiqu'ils se soient enveloppés de couvertures. L'hiver n'a pas encore dit son dernier mot bien que le printemps ne soit plus très loin. Anne fait une soupe bien chaude pour réchauffer ses amis. Après cela, ils mordent à pleines dents dans les tartines et les gâteaux. Il ne reste bientôt plus rien.

Les jeunes filles vont à la cuisine et aident Anne à ranger la vaisselle pendant que les jeunes gens poussent les meubles et roulent le tapis. Quand la chambre est prête, ils mettent des disques. Les jeunes filles reviennent et tout le monde danse.

Autrefois, c'est-à-dire au temps où les jeunes gens étaient très bien élevés, ils venaient inviter les jeunes filles en disant :

— Me ferez-vous l'honneur de m'accorder cette danse? Mais les jeunes gens d'aujourd'hui sont plus familiers et disent tout simplement :

— Alors, tu viens, hein?

Ça ne fait rien, le résultat est le même; ils s'amusent tous bien. Ils dansent surtout les danses modernes. Anne a prévenu les voisins pour qu'ils ne soient pas gênés par le bruit. Elle a aussi enlevé tous les objets fragiles que Madame Bourjois aime bien. Il ne faut pas qu'ils se cassent.

Vers deux heures du matin, ils commencent à être fatigués. Ils ont sommeil. Jacques et Richard vont chercher des lits de camp, des matelas, des couvertures, des sacs de couchage. Les jeunes filles vont se coucher dans les chambres à coucher au premier étage. Les garçons s'installent comme ils peuvent au rez-de-chaussée. Demain il faudra tout ranger pour que la maîtresse de maison ne se fâche pas à son retour de vacances.

Bonne nuit ... ou ce qu'il en reste! Faites de beaux rêves!

GRAMMAR NOTES FOR TEXT 37

139. Subjunctive Mood. You have so far learned two 'moods'—the Indicative (to express facts, statements, etc.) and the Imperative (to give orders). Now comes the third and final mood, the **Subjunctive.** This is used (normally in subordinate clauses) to express fears, doubts, desires and possibilities. It is also used after certain conjunctions: 'although', 'unless', 'until', etc.

Formation of the Subjunctive.

The **verb endings** are the same for all verbs. They are added to the **root** of the **3rd person plural** of the **present** tense.

	-ER verbs	*-IR verbs*	*-RE verbs*
3rd person pl.:	ils **pass**ent	ils **finiss**ent ils **sort**ent	ils **prenn**ent

que je pass**e**	que je finiss**e**/sort**e**	que je prenn**e**
que tu pass**es**	que tu finiss**es**	que tu prenn**es**
qu' il pass**e**	qu' il finiss**e**	qu' il prenn**e**
que nous pass**ions**	que nous finiss**ions**	que nous pren**ions**
que vous pass**iez**	que vous finiss**iez**	que vous pren**iez**
qu' ils pass**ent**	qu' ils finiss**ent**	qu' ils prenn**ent**

Note: the 1st and 2nd person plural of the Present Subjunctive are the same as the Imperfect Indicative.

140. Irregular Subjunctive of AVOIR and ETRE.

que j'aie	that I have or may have	que je sois	that I am or may be
que tu aies		que tu sois	
qu' il ait		qu' il soit	
que nous ayons		que nous soyons	
que vous ayez		que vous soyez	
qu' ils aient		qu' ils soient	

141. Meaning of the Subjunctive. Since this mood has almost disappeared in English it is impossible to translate it literally, so an equivalent expression must be used.

Thus: 'il faut qu'il prenne le train' means literally:
'it is necessary that he take the train', but we would say: 'he must take the train'.

'Je veux qu'il parte'—(literally) 'I wish that he may go', i.e. 'I want him to go'.

Examples of the use of the Subjunctive:

(1) **After certain conjunctions,** the most common being:

jusqu'à ce que	until
quoique	although
bien que	although
pour que	in order that

(2) **After verbs expressing emotion:**
nous **sommes contents** que tu ne **sois** pas malade.
je **regrette** qu'il ne **vienne** pas.

(3) **After verbs expressing doubt:**
je **ne crois pas** qu'il **puisse** arriver demain.
il **n'est pas certain** qu'il **ait** acheté une auto.

(4) **After verbs expressing desire or command:**
elle **veut** absolument que vous **soyez** de retour à minuit.
je **désire** que tu **prennes** ce poste.
il **faut** qu'elle **sorte.**

142. Irregular verb CUIRE—to cook.

Present	*Imperfect*
je cuis	je cuisais
tu cuis	*Future*
il cuit	je cuirai
nous cuisons	*Perfect*
vous cuisez	j'ai cuit
ils cuisent	

143. Irregular Present tenses. Verbs ending in *-oyer* and *-uyer* change the 'y' into 'i' in the 1st, 2nd and 3rd person singular and 3rd person plural.

nettoyer : je nett**oie,** il nett**oie,** ils nett**oient,** etc.
essuyer : j'ess**uie,** tu ess**uies,** elles ess**uient,** etc.
But verbs in *-ayer* do not so change:
balayer : je bal**aye,** tu bal**ayes,** ils bal**ayent,** etc.

EXERCISES FOR TEXT 37

1. Répondez aux questions : Où était Jacques pendant les vacances de son père? Pourquoi? Quand Richard et Anne sont-ils venus? Pourquoi Anne est-elle très occupée? Décrivez ses occupations. Que fait Richard? Que fait Anne à la cuisine? Comment arrivent les invités? Que mangent-ils tous? Que font les jeunes gens avant de danser? Aimez-vous danser? Quelles sortes de danses danse-t-on aujourd'hui? A quelle heure se couchent-ils tous? Y a-t-il un lit pour chacun?

2. Mettez le verbe entre parenthèses au subjonctif :

(1) Il faut que vous (partir) de bonne heure.
(2) Ils travaillent encore bien qu'ils (être) fatigués.
(3) Nous téléphonons au docteur pour qu'il (venir) d'urgence.
(4) Je veux qu'il (sortir) immédiatement.
(5) Elle doute que nous (pouvoir) finir à l'heure.
(6) Restez- là jusqu'à ce que je (revenir).
(7) Nous sommes contents que vous (apprendre) le français.
(8) Nous allons ouvrir la porte bien que nous (avoir) peur des voleurs.
(9) Il faut que tu (prendre) ce train.
(10) Je ne crois pas qu'il (être) revenu.

3. Ecrivez le présent et le futur de :

balayer : essuyer : essayer:
nettoyer : envoyer : employer:

4. Complétez avec des pronoms personnels :

(1) Voilà John : partez- ... avec ... ?
(2) Que d'enfants! Ne ... donnez pas de bonbons avant le déjeuner.
(3) John est sur la place, je ... vois.
(4) Ces oranges sont à vous, je ... ... ai données.
(5) Ces escargots sont bons, voulez-vous ... manger?
(6) J'ai un chien chez ... ; veux-tu ... donner à manger?
(7) Marie et Pierre vont au cinéma; voulez-vous aller avec ... ?
(8) Ce livre est à ... ; donnez- ... ... s'il ... plaît.
(9) Voici les garçons, je veux ... parler.
(10) Les jeunes filles tournent la tête pour regarder derrière ...

5. Décrivez une maison (en 100 mots environ).

TEXT 38

PARIS, « VILLE LUMIÈRE »

Une année a passé. Nous sommes à la veille des vacances de Pâques pendant lesquelles John et Anne vont se marier. Le mariage aura lieu au village et quelques membres de la famille de John viendront y assister. Ses parents seront là, naturellement, ainsi que sa soeur. Deux de ses tantes et deux de ses oncles les accompagneront avec deux cousins et une cousine qui ont à peu près l'âge de John. Ces derniers décidèrent de partir un peu plus tôt car ils voulaient profiter de l'occasion pour visiter Paris, la « ville lumière ».

Le train par lequel ils arrivèrent était excellent et ils n'étaient pas du tout fatigués. Ils allèrent en taxi à l'hôtel du Quartier Latin où ils avaient loué leurs chambres. Ils déposèrent et défirent leurs valises à la hâte et se retrouvèrent en bas au bout de quelques minutes, tant ils avaient envie de connaître Paris tout de suite. Il était environ cinq heures et demie du soir.

— Qu'est-ce qu'on va faire?

— Mangeons! J'ai le ventre creux!

— Oh! non. Il est trop tôt. Je n'ai pas faim.

— Moi non plus. Promenons-nous d'abord.

— Allons voir les monuments les plus intéressants.

— Nous avons le temps de les voir demain. Moi aussi, j'ai faim et savoir manger est un art que nous pouvons apprendre en France. Les monuments nourrissent l'esprit ... mon estomac demande une autre nourriture!

— Les Français ne dînent pas avant sept heures.

— En tout cas, ne restons pas ici.

Tout en parlant, ils sortirent de l'hôtel situé tout près des Jardins du Luxembourg. Le Luxembourg est le jardin des poètes, des étudiants et des enfants parisiens. C'est le parc du Quartier Latin. Contrairement aux parcs publics anglais, tout y est soigneusement cultivé, tout y est symétrique et élégant. Les parcs français sont d'une beauté classique alors que les parcs anglais ont la poésie et le charme du naturel.

Les amis arrivèrent bientôt sur le Boulevard Saint-Michel près duquel se trouve le Panthéon qui fut construit juste avant la Révolution. Il aurait dû être une église, mais le gouvernement de la Première République décida de la dédier aux grands hommes. Les restes de Victor Hugo, d'Emile Zola, de Louis Braille y furent déposés parmi d'autres. Non loin du Panthéon, voici la Sorbonne qui est l'Université de Paris. Quelques bâtiments modernes s'élèvent près des vieilles constructions car les sciences modernes demandent leurs places. Il y a de plus en plus d'étudiants et beaucoup d'étrangers de toutes les races se mêlent aux étudiants français.

Les jeunes gens se perdirent derrière la Sorbonne dans ce vieux quartier de Paris où on découvre à chaque instant un peu d'histoire de France. Dans la cour du Musée de Cluny on s'étonne du silence au cœur de Paris et on y pense à tous les arts oubliés du temps passé. Ce ne fut qu'en arrivant de nouveau sur le Boul'Mich' qu'ils se rappelèrent leur faim. Le soir tombait lentement. Ils descendirent vers la Seine. Ils regardèrent les cafés dans lesquels les clients finissaient leurs apéritifs.

— Des escargots! Regardez! dans ce petit restaurant. Je veux en goûter.

— A ton aise. Nous te regarderons en manger. Si tu meurs, nous ramènerons ton corps en Angleterre où nous t'enterrerons.

— Idiot! Est-ce qu'on meurt de manger des moules et des huîtres? C'est la même chose.

Et les escargots étaient si bons que tous les cousins ont fini par en manger une douzaine chacun. A quand votre tour?

GRAMMAR NOTES FOR TEXT 38

144. Relative Pronouns (see 37, 95 and 137).

You have already met the relative pronouns 'qui', 'que', and 'dont'. When, however, a relative pronoun comes **after a preposition** it has a special form:

Masc. sing.	*Fem. sing.*	*Masc. plural*	*Fem. plural*
lequel	laquelle	lesquels	lesquelles — which

Examples: (comparing the two forms of relative pronouns).

le train **que** je prends à huit heures ...
le train **par lequel** j'arrive à huit heures ...
les cafés **qui** sont pleins de monde ...
les cafés **dans lesquels** on mange si bien ...
les filles **que** je vois tous les jours ...
les filles **avec lesquelles** je vais au cinéma ...
la maison **dont** on m'a parlé est bleue ...
la maison **près de laquelle** je m'assieds ...
la maison **à laquelle** je reviens toujours ...

Note: 'DE' before 'le, les' of lequel, lesquel(le)s and 'A' before 'le, les' of lequel, lesquel(le)s become **du**quel, **des**quel(le)s and **au**quel, **aux**quel(le)s.

L'arbre **près duquel** je m'assieds ...
Les filles **auxquelles** je rends visite ...

145. Irregular verb MOURIR—to die.

Present	*Imperfect*
je meurs	je mourais
tu meurs	*Future*
il meurt	je mou**rrai**
nous mourons	*Past Historic*
vous mourez	je mourus
ils meurent	*Perfect*
	je **suis** mort

146. Phrases with 'que' often translated by 'as'. You will remember the comparative of adjectives 'aussi ... que' — 'as ... as'.

ainsi que	as well as, just as
alors que	when, whereas
pendant que	while
tandis que	while, whereas
tant que	as long as
(tant	so, such, so many, so much)

147. Vocabulary and idioms.

quel jour sommes-nous aujourd'hui?	what date is it to-day?
nous sommes à la veille des vacances de Pâques	it is the eve of the Easter holidays
en bas	at the bottom of, below
en haut	at the top of, above
en tout cas	in any case
au bout de	at the end of
à (ton) aise	as (you) please
non plus	neither

EXERCISES FOR TEXT 38

1. Répondez aux questions: Où le mariage d'Anne aura-t-il lieu? Qui viendra y assister? Qui va d'abord à Paris? Comment y sont-ils allés? Où logent-ils? A quelle heure ont-ils quitté l'hôtel? Où l'hôtel était-il situé? Comment sont les jardins du Luxembourg? Quelles différences y a-t-il entre les parcs anglais et les parcs français? Comment s'appelle le Boulevard qui mène du Quartier Latin à la Seine? Qui est enterré au Panthéon? Comment sont les cafés de Paris? Connaissez-vous Paris?

2. Complétez avec la forme correcte du pronom relatif lequel, laquelle, etc.

(1) La table sur ... il y a des fleurs est grande.
(2) Voilà le fauteuil sous ... je trouve ma valise.
(3) L'homme près ... il est assis s'appelle Marius.
(4) Ces valises devant ... le chien aboie sont à moi.
(5) Il y a beaucoup de jeunes filles ... nous aimerions parler.
(6) Voyez ces montagnes loin ... je suis toujours malheureux.
(7) Elle regarde la rivière au bord de ... elle se repose.
(8) L'autobus par ... ils sont arrivés, était vert.
(9) Voici tous les enfants ... il faut donner des bonbons.
(10) Les chemins par ... nous sommes venus étaient très mauvais.

3. **Traduisez les phrases** suivantes en français ou en anglais :

(1) Jacques est resté à la maison tant que ses parents étaient en vacances.
(2) Elle travaille très bien tandis que sa soeur est paresseuse.
(3) Alors que j'étais en vacances j'ai rencontré mes amis.
(4) Son chapeau est de travers, ainsi que sa cravate.
(5) J'aime tant ce musée que je le visite souvent.
(6) On Christmas Eve we went to the theatre.
(7) At the end of the road there was a farm.
(8) I shall go in any case.
(9) She was knitting while her husband was reading.
(10) Is the cellar at the top or at the bottom of the house?

4. **Ecrivez en toutes lettres :**

(*a*) Quelle heure est-il?
9.45; 8.30; 2.10; 3.50; 7.15; 4.35; 4.20; 1.05; 12.33;

(*b*) La date. Quel jour sommes-nous?
11.11.1918; 18.6.1815; 14.7.1789; 13.5.1958; 3.9.1939;

5. **Décrivez les événements** qui sont arrivés aux dates ci-dessus.

TEXT 39

PARIS, « VILLE LUMIÈRE » (2)

Le lendemain, les cousins de John ne prirent pas le petit déjeuner dans leur hôtel. Dans les hôtels français, on peut simplement louer une chambre et on va prendre le petit déjeuner au café du coin de la rue. Un bon café noir, ou un café-crème (café au lait) avec des croissants chauds, il n'y a rien de meilleur.

Au bord de la Seine les bouquinistes ont déjà ouvert leurs boutiques près desquelles on peut passer des heures à regarder les livres d'occasion — les bouquins — et les gravures. Mais nos amis ne restèrent pas longtemps sur les quais. Ils allèrent tout droit à l'Ile de la Cité pour voir Notre-Dame et toute la rive droite du fleuve.

C'est sur les deux îles au milieu de la Seine que Paris a commencé son histoire. Les habitants y étaient protégés contre leurs ennemis par le fleuve. Toute la ville est construite en rond autour de la Cité, une Cité qui n'a rien de commun avec la cité de Londres.

Après avoir traversé la Seine, les cousins regardèrent l'imposant bâtiment du Louvre.

— On entre au musée, ou on admire seulement le Palais de l'extérieur?

— Nous n'avons pas beaucoup de temps et je n'ai pas très envie de perfectionner mes connaissances en peinture.

— Moi, j'aimerais perfectionner les miennes, et je voudrais bien voir le sourire de la Joconde, dit la jeune fille.

— Letien est assez bon pour moi!

— Allons, ne perdons pas de temps. Entrons une minute, si ce n'est que pour voir la Vénus de Milo.

— Et le portrait de Charles Ier, roi d'Angleterre.

Que de salles splendides! Les trois jeunes gens en étaient étonnés à chaque pas. On ne peut pas faire une visite éclair au Louvre; quand ils en sortirent, l'heure du déjeuner était passée depuis longtemps.

— Eh bien! qu'est-ce que vous pensez de la Joconde?

— J'en pense beaucoup de bien, mais j'ai tellement faim!

— Si nous mangions ici? Dans les jardins des Tuileries? Nous pourrions acheter du pain et des saucisses et nous aurions la plus belle vue de Paris : les Tuileries, la Concorde, les Champs-Elysées. Que voulez-vous de plus?

— Une boucherie et une boulangerie! Il n'y a que des palais ici.

— Un marché est à deux pas d'ici. Nous trouverons ce qu'il nous faut dans ce quartier, et puis nous reviendrons ici.

— A propos, avez-vous de l'argent? Marie et moi, nous avons oublié le nôtre.

— J'en ai un peu, mais il faudra que j'aille dans une banque changer des chèques de voyage. Est-ce que vous voulez aussi changer les vôtres?

— Oui, moi, je veux changer les miens. Nous trouverons facilement une banque dans le quartier de l'Opéra. Elles sont fermées pour midi maintenant, mais elles seront de nouveau ouvertes de deux heures à quatre heures.

— Ah, mon Dieu, dit une cousine, j'ai perdu la clef de ma valise.

— Ma pauvre fille, c'est la troisième fois que tu dis ça! Quelle scie! On devrait t'attacher une ficelle et un poids avec ta clef autour du cou. Comme ça, on serait tranquille.

— Ah! la voilà dans ma poche.

— Je le savais bien.

Après s'être reposés et restaurés sur un banc des Tuileries, ce qui les fait penser à Marie-Antoinette, les cousins reprennent leur promenade. Demain ils monteront au sommet de la Tour Eiffel.

C'est ainsi qu'il faut visiter Paris : à pied, l'esprit et les yeux ouverts, pour en respirer l'atmosphère à chaque pas, à chaque instant. Et le soir, à demi-mort de fatigue, on peut revenir en autobus ou par le métro.

GRAMMAR NOTES FOR TEXT 39

148. Possessive Pronouns (compare Possessive adjectives mon, ma, mes).

Masculine singular	*Feminine singular*	*Masculine plural*	*Feminine plural*	
le mien	la mienne	les miens	les miennes	mine
le tien	la tienne	les tiens	les tiennes	thine
le sien	la sienne	les siens	les siennes	his, hers
le nôtre	la nôtre	les nôtres	les nôtres	ours
le vôtre	la vôtre	les vôtres	les vôtres	yours
le leur	la leur	les leurs	les leurs	theirs

Examples:

je veux voir le sourire de la Joconde — **le tien** me suffit
il faut changer les chèques de voyage — voulez-vous changer **les vôtres**? je vais changer **les miens**

149. Irregular Subjunctive of ALLER

que j'aille	que nous allions
que tu ailles	que vous alliez
qu' il aille	qu' ils aillent

150. Use of 'de' with an adjective. English phrases such as: 'something interesting', 'nothing better', 'what more?' 'nothing in common', 'again' (a second time) are expressed in French by using **de** with the necessary adjective, which has **no** agreement with any noun.

Examples:

j'ai lu quelque chose **d'intéressant**
il n'y a rien **de meilleur.** Que voulez-vous **de plus**?
la Cité n'a rien **de commun** avec la cité de Londres.
en arrivant **de nouveau** sur le Boul' Mich'.

151. Revision of other uses of 'de'

(1) *After adverbs of quantity:*

beaucoup **de** boutiques
combien **de** peintures?

(2) *After verbs in the negative:*

il **n'**y a **pas de** clefs
je **n'**ai **plus de** chèques

(3) *Before plural adjectives* preceding the noun:

elle a **de beaux** yeux
nous voyons **de jolis** portraits

152. Use of Pronouns y and en (see 72). You have already learned Y—there, in there, in it, in them, on it, and EN—some, any, of it, of them, from it, them.

(Tu as visité la Tour Eiffel? Oui, j'**y** suis allé hier. Voulez-vous encore des sandwichs? Merci, j'**en** ai assez.)

Notice the use of y with verbs such as: penser, croire, consentir, which take the **preposition 'à':**

Pensez-vous **à** vos leçons? Oui, j'**y** pense—(Yes, I think *about* them).

Voulez-vous consentir **au** mariage de votre fille? Non, nous n'**y** consentons pas.

Croyez-vous **à** ce miracle? Oui, j'**y** crois.

Notice similarly the use of 'en' with verbs which take **'de'**.

Que pensez-vous de la cuisine française?	
J'**en** pense beaucoup de bien.	I think a great deal *of it.*
Il arrivera demain, j'**en** suis sûr (certain).	he will arrive to-morrow, I am sure (certain) (*of it*).
Est-ce que vous m'avez remercié de votre cadeau? Oui, je vous **en** ai déjà remercié mille fois.	Have you thanked me for your present? Yes, I have already thanked you a thousand times (*for it*).

Note: **penser à** to think about, or of.
penser de to think of (in the sense of having an opinion).

153. Vocabulary:

droit	straight, directly (also right)
à deux pas	a couple of yards away
à chaque pas, instant	at every step, moment
à propos	by the way; now I think of it
quelle scie!	what a bore! (scie—a saw)

EXERCISES FOR TEXT 39

1. **Répondez aux questions:** Où prend-on souvent le petit déjeuner quand on séjourne dans un hôtel parisien? Que mange-t-on en France pour le petit déjeuner? Que voit-on le long de la Seine? Qu'y a-t-il au milieu de la Seine? Quelle différence y a-t-il entre l'Ile de la Cité à Paris et la Cité de Londres? Nommez un Musée de Paris. Qu'y voit-on? Comment s'appelle le grand marché de Paris? Où les jeunes gens déjeunent-ils? Qui était Marie-Antoinette? Et son mari? Connaissez-vous l'histoire de France?

2. **Complétez avec un pronom possessif :**

(1) Voici ma brosse, où est ... ?
(2) Voilà vos livres, nous avons perdu ...
(3) J'aime ta robe, mais je n'aime pas ...
(4) Servons-nous de vos outils, ils ont emporté ...
(5) Mes lettres arrivent ici, il reçoit ... poste restante.

3. **Complétez avec une expression** contenant la préposition 'de'.

(1) Avez-vous ... argent pour acheter les billets?
(2) Il y a quelque chose ... dans ce journal.
(3) J'ai écouté les nouvelles; il n'y a rien ...
(4) Il y a ... gens mais il n'y a pas ... autobus.
(5) Nous avons reçu ... grands compliments, mais rien ...

4. **Répondez aux questions** en employant 'y' ou 'en'.

(1) Pensez-vous à vos amis?
(2) Que pensez-vous de cette leçon?
(3) Avez-vous de l'encre?
(4) Etes-vous allé à Paris?
(5) Boirez-vous du thé après cette leçon?

5. **Traduisez en français:** Have you got some? Is there any on the table? I don't see any. What do you think of it? Do you think about it? Did you go there? No. I never went there.

CONCLUSION

Et voilà, notre livre tire à sa fin. Nous espérons que vous avez non seulement appris à parler ... un peu ... le français, mais aussi à connaître et à aimer la France et les Français. Il y aurait encore bien des choses à dire à leur sujet, mais la meilleure façon d'apprendre est d'aller en France et d'observer.

Vous verrez que c'est un pays beaucoup moins industriel que l'Angleterre. L'agriculture y est plus importante que l'industrie. Malgré une modernisation constante, il reste en France beaucoup de petits artisans qui travaillent individuellement dans leurs ateliers au lieu de travailler à l'usine. On les trouve surtout dans les villages où les menuisiers et les maçons, par exemple, ne font pas partie d'une grande entreprise. Dans les petits villages où on se sert encore de chevaux, il y a même des forgerons.

La plupart des Français habitent des appartements et, dans l'ensemble, les maisons sont plus vieilles qu'ici.

Comme partout, la famille se réunit pour les grandes fêtes et c'est pourquoi nous retrouvons tous les parents des Bourjois et de John. Ils sont réunis pour le mariage de John et d'Anne. Ils sont prêts à partir pour la mairie où tous les membres de la famille qui le désirent peuvent les accompagner. En France, en effet, le mariage civil a lieu avant le mariage religieux car, aux yeux de la loi, on n'est marié que par cette cérémonie civile. Ensuite, si on le veut, on se marie à l'église selon sa religion.

Le secrétaire de mairie fait signer tous les papiers aux futurs époux, puis le maire lui-même (ou quelquefois l'adjoint au maire) arrive. Il porte l'écharpe tricolore. Il pose les questions usuelles, puis fait un petit discours sur les droits et les devoirs du mari et de la femme.

Après la cérémonie toute la famille se retrouve au restaurant. Tout le monde est gai. On taquine les jeunes mariés :

— Alors, John, l'Entente Cordiale, ce n'est pas seulement une théorie pour toi? Tu veux la mettre en pratique, n'est-ce pas?

— Ma pauvre Anne, c'est seulement pour s'exercer en français que John t'épouse, tu sais!

Et les plaisanteries vont leur train. Un repas de mariage est une grande affaire en France. Celui-ci dure trois heures. Chaque plat doit être accompagné d'un vin différent. Après le dessert, on finit naturellement par du champagne, des discours et la lecture des télégrammes. Quelques amis ont écrit simplement : 'Félicitations et meilleurs voeux de bonheur', mais ceux qui connaissent bien la famille ont souvent envoyé des télégrammes très amusants.

Après le repas bien des gens du village et tous les amis de Jacques, de Richard et d'Anne viennent à la réception. La salle est pleine de fleurs et tout le monde admire les cadeaux. Les jeunes mariés s'en vont bientôt, mais les autres dansent jusque tard dans la nuit.

Et maintenant, au revoir, les Bourjois; au revoir, John. Ne les oubliez pas; ils vous ont aidés à faire vos premiers pas en français et ils vous souhaitent beaucoup de plaisir pour le reste de vos études.

Au revoir et bonne chance!

EXERCISES FOR TEXT 40

1. Questions :

Par quelle cérémonie se termine votre livre de français? Où se marie-t-on en France? Qui unit les époux à la mairie? A quoi reconnaît-on le maire à une cérémonie officielle? Que font les invités après la cérémonie du mariage? Décrivez un repas de noces. Irez-vous en France cet été? Savez-vous parler francais? Continuerez-vous à apprendre le français? D'après ce que vous avez lu ou vu, pouvez-vous commenter sur (*a*) les différentes caractéristiques de la France et de l'Angleterre, (*b*) les différentes caractéristiques des Français et des Anglais? On dit que la France est une seconde patrie pour beaucoup d'étrangers; pourquoi?

2. Mettez en ordre.

(*a*) *les mots suivants :* (ils se rapportent tous au métier de Monsieur Bourjois).

rduceto blaecmuan gterun slbése laemad égrui

(*b*) *les phrases suivantes :*

pour la Paris belle Français est plus les du ville monde.
le d' brille Azur sur soleil Côte la toujours.
Ville demain j' commissions irai en faire quelques.
-vous vous aimez au lune de promener clair ami(e) votre avec? reposerez vous et en vous bientôt vacances serez vous.

3. Informez-vous et essayez de dire en quelques phrases comment la France est divisée et administrée.

Le département	le préfet	nommer
l'arrondissement	le sous-préfet	élire
la commune	le maire	

4. Mots croisés :

Horizontalement :

(1) Membre de la famille. Pronom.
(2) En Algérie. Département de la France.
(3) Agréable à gagner. Anne et John ont fêté les leurs.
(4) Les enfants les aiment. Article contracté.
(5) S'emploie souvent devant un homme. Commencement de peine.
(6) Machine à coudre de marque qui a perdu la tête.
(7) La fille de ma soeur.
(8) C'est ce qui arrive à une lettre.
(9) Certaine. 'Jour de —.'

Verticalement :

(1) On en trouve beaucoup à Scotland Yard.
(2) Odeur délicieuse.
(3) Devenir tout petit en se couvrant de rides.
(4) Préposition. Ville du sud de la France.
(5) Quand on veut faire du ski, on aime bien voir —.
(6) Constituent le squelette. Fin de récif.
(7) Phonétiquement : cela suffit. '— moi ta plume ... '
(8) Ni chaud ni froid. Lie deux phrases.
(9) Et puis après?

(Ne tenez pas compte des accents!)

Grille de mots croisés

Irregular Verbs

	Infinitive	*Present*	*Future*	*P. Historic*	*Perfect*
(1)	aller—to go	je vais nous allons ils vont	j'irai	j'allai	je SUIS allé
(2)	s'asseoir—to sit down	je m'assieds n. n. asseyons ils s'asseyent	je m'assiérai	je m'assis	je me suis assis
(3)	avoir—to have	j'ai n. avons tu as v. avez il a ils ont	j'aurai (*Imperative:* aie, ayons, ayez)	j'eus	j'ai eu
(4)	se battre—to fight	je me bats n. n. battons ils se battent	je me battrai	je me battis	je me suis battu
(5)	boire—to drink	je bois nous buvons ils boivent	je boirai	je bus	j'ai bu
(6)	conduire—to lead or drive	je conduis n. conduisons ils conduisent	je conduirai	je conduisis	j'ai conduit
(7)	connaître—to know	je connais n. connaissons ils connaissent	je connaîtrai	je connus	j'ai connu
(8)	construire—to build (like conduire)				
(9)	courir—to run	je cours nous courons ils courent	je courrai	je courus	j'ai couru
(10)	couvrir—to cover (like ouvrir)				
(11)	craindre—to fear	je crains nous craignons ils craignent	je craindrai	je craignis	j'ai craint
(12)	croire—to believe	je crois nous croyons ils croient	je croirai	je crus	j'ai cru
(13)	cuire—to cook	je cuis nous cuisons ils cuisent	je cuirai	je cuis	j'ai cuit
(14)	coudre—to sew	je couds nous cousons ils cousent	je coudrai	je cousis	j'ai cousu
(15)	devoir—to owe and to have to	je dois nous devons ils doivent	je devrai	je dus	j'ai dû
(16)	dire—to say	je dis nous disons vous dites ils disent	je dirai	je dis	j'ai dit
(17)	dormir—to sleep (like servir)				
(18)	écrire—to write	j'écris nous écrivons ils écrivent	j'écrirai	j'écrivis	j'ai écrit

	Infinitive	*Present*	*Future*	*P. Historic*	*Perfect*
(19)	éteindre—to put out (like craindre)				
(20)	être—to be	je suis n. sommes tu es v. êtes il est ils sont	je serai	je fus	j'ai été
			(*Imperative:* sois, soyons, soyez)		
(21)	faire—to do *or* to make	je fais nous faisons vous faites ils font	je ferai	je fis	j'ai fait
(22)	falloir—to be necessary (impersonal)	il faut	il faudra	il fallut	il a fallu
(23)	joindre—to join (like craindre)				
(24)	lire—to read	je lis nous lisons ils lisent	je lirai	je lus	j'ai lu
(25)	mettre—to put (also permettre promettre, (se) remettre)	je mets nous mettons ils mettent	je mettrai	je mis	j'ai mis
(26)	mourir—to die	je meurs n. mourons ils meurent	je mourrai	je mourus	je SUIS mort
(27)	offrir—to offer (like ouvrir)				
(28)	ouvrir—to open	j'ouvre n. ouvrons ils ouvrent	j'ouvrirai	j'ouvris	j'ai ouvert
(29)	partir—to leave depart (like servir)				je SUIS parti
(30)	peindre—to paint (like craindre)	and se plaindre—to complain and plaindre—to pity			
(31)	pouvoir—to be able, can	je peux n. pouvons ils peuvent	je pourrai	je pus	j'ai pu
(32)	prendre—to take (also apprendre, comprendre)	je prends nous prenons ils prennent	je prendrai	je pris	j'ai pris
(33)	recevoir—to receive. (Also apercevoir)	je reçois n. recevons ils reçoivent	je recevrai	je reçus	j'ai reçu
(34)	rire—to laugh	je ris nous rions ils rient	je rirai	je ris	j'ai ri
(35)	savoir—to know	je sais nous savons ils savent	je saurai	je sus	j'ai su
			(*Imperative:* sache, sachons, sachez)		
(36)	sentir—to feel *or* to smell (like servir)				

	Infinitive	*Present*	*Future*	*P. Historic*	*Perfect*
(37)	servir—to serve	je sers nous servons ils servent	je servirai	je servis	j'ai servi
(38)	sortir—to go out (like servir)				je SUIS sorti
(39)	souffrir—to suffer (like ouvrir)				
(40)	tenir—to hold (also obtenir retenir)	je tiens nous tenons ils tiennent	je tiendrai	je tins n. tînmes v. tîntes ils tinrent	j'ai tenu
(41)	traduire—to translate (like conduire)				
(42)	valoir—to be worth	je vaux n. valons ils valent	je vaudrai	je valus	j'ai valu
(43)	venir—to come (also devenir, prévenir, revenir)	je viens n. venons ils viennent	je viendrai	je vins (see tenir)	je SUIS venu
(44)	voir—to see	je vois nous voyons ils voient	je verrai	je vis	j'ai vu
(45)	vouloir—to wish or want to	je veux nous voulons ils veulent	je voudrai	je voulus	j'ai voulu

Verbs ending in -oyer and -uyer change the Y into I in the present and future.

Verbs ending in e-er sometimes double the consonant (appeler, jeter); sometimes take a grave accent (mener, lever, acheter, préférer, céder, prospérer, etc.).

Verbs ending in -ger and -cer must keep the G and C soft before a, o, u, by taking an 'e' after the G and changing the C into ç.

Vocabulary

d'abord	first, as first
accord (m)	agreement
accrocher	to hook, catch, hang
acheter	to buy
adroit	skilful
affaire (f)	business, firm; (pl.) belongings
aiguille (f)	needle
aile (f)	wing
d'ailleurs	besides
ainsi;—que	thus, so; as well as
avoir l'air	to seem, to look like
allemand	German
allumette (f)	match
allumer	to light
alors; — que	then; whereas
amener	to lead to, take to
à peu près	approximately, about
apporter	to bring
s'approcher de	to go near
après-midi (m) (f)	afternoon
arbre (m)	tree
s'arranger	to make arrangements
arrêt (m)	stop
arriver	to arrive, happen
assez	enough, rather
assister à	to attend
atelier (m)	workshop
attendre	to wait for, expect
attraper	to catch
aucun	no, none
aujourd'hui	to-day
autrefois	formerly
autrement	otherwise
autre part	elsewhere
autour de	around
avenir (m)	future
aveugle	blind
avion (m)	aeroplane
balai (m)	broom
balayer	to sweep
banc (m)	seat, bench
barbe (f)	beard
bas (m)	stocking; lower part
en bas	below
bateau (m)	boat, ship
bâtir	to build
bâtiment (m)	building
battre; se —	to beat; to fight
beau-frère (m)	brother-in-law
besoin (m)	need
avoir besoin de	to need
bien (m)	good (noun)
bien des	many
bien que	although
bien sûr	of course
bientôt	soon
billet (m)	ticket
blesser	to wound
blessure (f)	wound
boîte (f)	box
boîteux	lame
bonheur (m)	happiness
bondir	to jump
bon marché	cheap
bonté (f)	kindness
bord (m)	edge, side
boucher (verb)	to block
boucherie (f)	butcher's shop
bougie (f)	candle
bouillir	to boil
boulangerie (f)	bakery
bouquin (m)	book (familiar)
bout, au — de	bit, at the end of
boutique (f)	small shop, stall
bras (m)	arm
brouillard (m)	fog
bruit (m)	noise
brûler	to burn
brun	brown
bureau de tabacs (m)	tobacconist
cacher	to hide
cadeau (m)	gift
camion (m)	lorry
camionnette (f)	van
campagne (f)	country
cannelle (f)	cinnamon
caoutchouc (m)	rubber
car	for, because
carré	square
cas (m); en tout —	case; in any —
casque (m)	helmet
casser	to break
casserole (f)	saucepan
ceinture (f)	belt, sash
celui (m), celle (f)	this one, the one
c'est-à-dire	that is to say
chacun(e)	each, everyone
chapeau (m)	hat
charger	to load
charrue (f)	plough
chat (m)	cat
chauffage (m)	heating

chauffer	to heat
chaussure (f)	shoe
chemin (m)	path, way
chemin de fer (m)	railway
chercher	to fetch, search, look for
chiffon (m)	rag
parler chiffons	to talk dress
chiffre (m)	number, figure
ciel (m)	sky
cimetière (m)	cemetery
ciseaux (m. pl.)	scissors
citron (m)	lemon
clef (f)	key
clou (m)	nail
coeur (m)	heart
coin (m)	corner
colère (f)	anger
se mettre en colère	to get angry
comment	how
commode	useful
comptabilité (f)	accountancy
compte (m)	account
se rendre compte	to realize
connaissance (f)	knowledge, acquaintance
conseil (m)	advice
construire	to build
cordonnier	shoemaker
corps (m)	body
côté (m); à — de	side; next to
cou (m)	neck
coucher; se —	to lay; to lie down
coudre	to sew
couler	to flow
coup (m)	blow
coup de main (m)	helping hand
coup d'oeil (m)	glance
course (f)	race, errand
coûter	to cost
couture (f)	sewing
couturière (f)	seamstress
couverture (f)	blanket
craindre	to fear
cravate (f)	tie
creuser	to dig
creux	hollow
croire	to believe, think
cuiller (f)	spoon
cuir (m)	leather
cuire	to cook
cuisine (f)	kitchen
cuisinière (f)	cook
cuvette (f)	bowl

debout	standing
se débrouiller	to manage
début (m)	beginning
décharger	to unload
déchirer	to tear
découvrir	to discover
décrire	to describe
dedans	inside
dédier	to dedicate
défaire	to undo
dehors	outside
déjà	already
demain	to-morrow
se demander	to wonder
démolir	to destroy
dent (f)	tooth
se dépêcher	to hurry
dépenser	to spend
déposer	to put down
depuis	since
déranger	to disturb, trouble
derrière	behind
dès que	as soon as
(se)déshabiller	to undress (oneself)
dessin (m)	drawing
dessous	underneath
dessus	above
devenir	to become
devoir (verb)	to have to
devoir (m. noun)	duty, homework
dinde (f)	turkey
discours (m)	speech
doigt (m)	finger
dommage (m); c'est —	damage; it is a pity
dormir	to sleep
dos (m)	back
douane (f)	customs
douanier (m)	customs officer
douche (f)	shower
drap (m)	sheet
drapeau (m)	flag
droit (m); (adj.)	the right; straight
droite, à —	right, on the —
dur	hard
durer	to last

eau (f)	water
échelle (f)	ladder
éclair (m)	lightning
éclairer	to light

école (f)	school
écouter	to listen to
écraser	to crush, run over
écrire	to write
écurie (f)	stable (horse)
effacer	to rub, erase, blot out
effroyable	frightening
église (f)	church
élever	to raise
bien (mal) élevé	well (badly) behaved
embrasser	to kiss
emmener	to lead, take away
empêcher	to prevent
emporter	to carry, take away
encrier (m)	inkstand
s'endormir	to go to sleep
endroit (m)	place, spot
enfin	at last
enlever	to take away, off
s'ennuyer	to be, get, bored
ensemble; dans l' —	together; on the whole
ensuite	then
entendre	to hear
enterrer	to bury
entourer	to surround
entre	between, amongst
envie (f); avoir — de	desire; to want to
environ	about
environs (m. pl.)	surroundings
envoyer	to send
épais	thick
épaule (f)	shoulder
épingle (f)	pin
épouser	to marry
escalier (m)	stair
escargot (m)	snail
espérer	to hope
espoir (m)	hope
esprit (m)	mind
essayer	to try
essuyer	to wipe
étage (m)	storey, floor
été (m)	summer
éteindre	to switch off, put out
s'étonner	to be surprised
étranger (m)	foreigner, stranger
étroit	narrow
éviter	to avoid
s'exercer	to practise
se fâcher	to get angry
facile	easy
façon (f)	way, manner
de façon à ce que	so that
farine (f)	flour
faux	wrong
félicitation (f)	congratulation
fer (m)	iron
fêter	to celebrate
feu (m)	fire
feuille (f)	leaf, sheet
se fiancer	to get engaged
ficelle (f)	string
fiche (f)	form
figure (f)	face
fil (m)	thread, wire
filet (m)	net, rack
fille (f)	girl, daughter
fils (m)	son
flocon (m)	flake
fois; à la —	time; at the same —
fond (m)	bottom
fondre	to melt, thaw
force (f)	strength
forgeron (m)	blacksmith
fort (adv.)	very
fort (adj.)	strong
fossé (m)	ditch
fou, folle	mad
fourneau (m)	stove
friandise (f)	titbit
front (m)	forehead
frotter	to rub
fumer	to smoke
fumée (f)	smoke
gagner	to win, earn, gain
gant (m)	glove
garçon (m)	boy, waiter
garder	to keep
gâteau (m)	cake
gâter	to spoil
gauche, à —	left, on the —
geler	to freeze
gêner	to hinder, disturb
genou (m)	knee
gentil	kind
glace (f)	mirror, ice
gourmand	greedy
goût (m)	taste
goûter	to taste
goutte (f)	drop
grâce à	thanks to
graisse (f)	fat (noun)
grandir	to grow up
gras	fat (adj.)
gravure (f)	engraving
gris	grey
gros	big, fat
guérir	to cure
guérison (f)	cure
guerre (f)	war

s'habiller	to get dressed
habits (m. pl.)	clothes
habiter	to live in
habitude (f); d' —	habit, custom; usually
heureux	happy
se heurter	to collide
hier	yesterday
hiver (m)	winter
homme (m)	man
huître (f)	oyster
ici	here
île (f)	island
inconnu	unknown
infirmier, infirmière	nurse
inoubliable	unforgettable
s'installer	to settle
s'intéresser à	to be interested in
interrompre	to interrupt
invité, invitée	guest
jamais	never
jambe (f)	leg
jaune	yellow
jeter	to throw
jeu (m)	game
jeunesse (f)	youth
joli	pretty
joue (f)	cheek
jouer	to play
jouet (m)	toy
jour (m); il fait —	day; it is daylight
journée (f)	day (duration)
jupe (f)	skirt
jusque, jusqu'à ce que	until
juste	exact, right
labourer	to plough
laid	ugly
laine (f)	wool
laisser	to leave
lait (m)	milk
lame (f)	blade
lancer	to throw
langue (f)	tongue, language
large	wide
lavabo (m)	washbasin
laver	to wash
lecture (f)	reading
léger	light
légume (m)	vegetable
lendemain (m)	following day
lent	slow
lever; se —	to raise; to get up
lèvre (f)	lip
libre	free
lieu (m); avoir —	place; to take place
ligne (f)	line
lit (m)	bed
loi (f)	law
loin; au —	far; in the distance
louer	to rent, let, book
lourd	heavy
lumière (f)	light
lunettes (f. pl.)	spectacles
maçon (m)	mason
magasin (m)	shop
maigre; maigrir	thin; to get —
main (f)	hand
maintenant	now
mairie (f)	townhall
mais	but
mal (m); (adv.)	evil, wrong; badly
avoir mal	to be in pain
faire mal	to hurt
malade; (noun)	ill; patient
malgré	in spite of
malheur (m)	misfortune
malheureux	unhappy, unfortunate
manquer	to lack, miss
manteau (m)	coat
marcher	to walk, go
mari (m)	husband
se marier	to get married
marmite (f)	pot, pan
marron (m)	chestnut
matelas (m)	mattress
mauvais	bad
méchant	wicked, unkind
médecin (m)	doctor
médicament (m)	medicine
mêler	to mix
mélange (m)	mixture
même; moi-même	same, even; myself
ménage (m)	household, housework
menuisier (m)	carpenter
mer (f)	sea
messe (f)	mass
métier (m)	trade, profession
mettre; se — à	to put, put on; start
se mettre en marche	to start
meuble (m)	piece of furniture
mince	slim, thin
minuit (m)	midnight
moins; au —	less; at least
mois (m)	month
moitié (f)	half
monde (m)	world

monnaie (f)	change
montre (f)	watch
montrer	to show
se moquer de	to laugh at
morceau (m)	piece, bit
mordre	to bite
mort; (f. noun)	dead; death
mot (m)	word
moteur (m)	engine
moto, motocyclette (f)	motorcycle
mou, molle	soft
mouche (f)	fly
mouchoir (m)	handkerchief
mouiller	to wet
moule (f)	mussel
mourir	to die
muet	dumb
mur (m)	wall
mûr	ripe
nager	to swim
né(e)	born
neige (f); neiger	snow; to —
nettoyer	to clean
neveu (m)	nephew
neuf, neuve	new
nez (m)	nose
ni ... ni ...	neither . . . nor . . .
nom (m)	name, noun
nombreux	numerous
nourrir	to feed
nourriture (f)	food
nouveau; de —	new; again
nouvelles (f)	news
nuage (m)	cloud
nuit (f); il fait —	night; it is —
nulle part	nowhere
obliger	to compel
occasion (f)	opportunity
livre d' — (m)	second-hand book
s'occuper de	to look after
oeil, yeux (m)	eye(s)
oeuf (m)	egg
oiseau (m)	bird
ombre (f)	shade, shadow
or (m)	gold
orage (m)	storm
oreille (f)	ear
os (m)	bone
oser	to dare
oublier	to forget
outil (m)	tool
ouvrier (m)	worker

paille (f)	straw
pain (m)	bread
paix (f)	peace
panier (m)	basket
panne (f)	breakdown
pansement (m)	dressing, bandage
pantalon (m)	trousers
Pâques (f)	Easter
paquet (m)	parcel
paraître	to appear, to seem
pareil	same, such a
parent (e)	relative
parmi	amongst
part (f); de votre —	share; on your behalf
partager	to share, divide
partir	to go away
pas (m)	step, pace
pâte (f)	dough
patron (m)	boss
patte (f)	paw
pays (m)	country
peau (f)	skin
peigner; peigne (m)	to comb; comb
peindre	to paint
peinture (f)	painting
pelle (f)	spade, shovel
(se) pencher	to lean
pendant, — que	during, while
pendre	to hang
penser	to think
perdre	to lose, waste
peser	to weigh
petit-fils (m)	grandson
petite-fille (f)	grand-daughter
pétrole (m)	oil, petroleum
peur (f); faire—; avoir —	fear; to frighten; to be afraid
peut-être	perhaps
pharmacien (m)	chemist
phono (m)	gramophone
phrase (f)	sentence
pièce (f)	coin, room
pied (m)	foot
pierre (f)	stone
pioche (f)	pickaxe
piquer	to prick, sting
place (f)	spot, job, seat
placement (m)	investment
plafond (m)	ceiling
plage (f)	beach
se plaindre	to complain
plaire	to please
plaisanterie (f)	joke
plancher (m)	floor
plat (m)	dish

plat flat
pleurer to cry, weep
plier to fold
pluie (f) rain
plume (f) pen
(la) plupart most, the majority
plus; de — more; moreover
plusieurs several
plutôt rather
poche (f) pocket
poêle (m) stove
poésie (f) poetry
poids (m) weight
poil (m) hair (animal)
poing (m) fist
dormir à poings fermés to sleep soundly
poisson (m) fish
poitrine (f) chest
pont (m) bridge
portefeuille (m) wallet
poser to put down
poste (m) post, job
poste (f) post, post-office
pourboire (m) tip
pourtant however
pousser un cri to utter a shout
poussière (f) dust
prairie (f) meadow
près (de) near
présenter to introduce
presque nearly, almost
pressé in a hurry
prêter to lend
prévenir to warn
prier to beg, ask, pray
printemps (m) spring
proche near
prochain next
produire to produce
profiter to take advantage
profond deep
projet (m) plan
se promener to go for a walk, ride
propre clean, own
protéger to protect
provisoire temporary
puits (m) well

quai (m) platform
quand; — même when; all the same
quelque(s) some
quelque chose something
quelquefois sometimes
quelque part somewhere
quelqu'un somebody
querelle (f) quarrel
queue (f) tail
quoi what
quoique although

raconter to tell
raison(f); avoir— reason; to be right
ramasser to pick, gather
ramener to lead, take back
ranger to tidy up
rappeler; se — to recall; remember
rasoir (m) razor
ravi delighted
recherche (f) research
réchauffer to warm up
reconnaître to recognize
reconnaissant grateful
reculer to go backwards
redevenir to become again
rejeter to throw back
rejoindre to join again
remarquer to notice
remercier to thank
remettre; se — à to put back; start again
remonter to climb again
remplir to fill
remuer to move
rencontrer to meet
rendre to give back
rendre heureux to make happy
repartir to start again, leave
reprendre to take up again
retour (m) return
retrouver to find again
se réunir to gather
se réveiller to wake up
rêve (m); rêver dream; to —
revenir to come back
revoir to see again
rez-de-chaussée (m) groundfloor
rire to laugh
rive (f) bank, edge
riz (m) rice
roi (m) king
roman (m) novel
roue (f) wheel
rouler to roll; drive

sac (de couchage) (m) (sleeping) bag
sage good, wise
sale; salir dirty; to —
saluer to greet
sang (m) blood
sans without
santé (f) health

sauter	to jump
se sauver	to escape, run away
scie (f)	saw (fam. bore)
séjour (m)	stay
sec, sèche	dry
selon	according to
semaine (f)	week
sembler	to seem
sens (m)	sense, direction
sentir	to feel, smell
serrer	to grasp, tighten
rendre service	to help out
être de service	to be on duty
se servir de	to use
seulement	only
si	if, whether; yes
siffler	to whistle
signification (f)	meaning
soie (f)	silk
soigner	to take care, nurse
soin (m)	care
soirée (f)	evening, party
sommeil (m); avoir —	sleep; to be sleepy
sonner	to ring
sortir	to go out, take out
souci (m)	worry
soudain	suddenly
souhaiter	to wish
soulever	to lift
soulier (m)	shoe
soupirer	to sigh
sourd	deaf
sourire	smile, to-
souris (f)	mouse
sous	under
souvenir (m)	memory
souvent	often
stylo (m)	fountain pen
suffire	to be enough
suivant	following
suivre	to follow
surprendre	to surprise
surtout	above all, mainly
tableau (m)	picture
tailler	to cut into shape
tailleur (m)	tailor
se taire	to be quiet
tant (de)	so much, so many
tant mieux	all the better
tant pis	too bad
tante (f)	aunt
taper	to slap
tapis (m)	carpet
taquiner	to tease
tard	late
tartine (f)	open sandwich
tas (m)	heap, pile
tasse (f)	cup
taureau (m)	bull
tel; tel quel	such; as it is
tellement	so much, so
témoin (m)	witness
tendre	to stretch, hold out
tenir	to hold
tenter	to tempt
terrain (m)	ground
terre (f)	earth
tête (f)	head
tiers (m)	third
timbre (m)	stamp
tirer	to pull, draw
tissu (m)	material
toile (f)	linen
toit (m)	roof
tomber	to fall
tonnerre (m)	thunder
tort (m); avoir —	wrong; to be wrong
tôt	early
toujours	always, still
tour (m)	turn, stroll
tourner	to turn
tout (adv.)	quite, completely
tout à coup	suddenly
tout à fait	completely
tout à l'heure	presently
tout de suite	at once
tout le monde	everybody
en train de	in the process of
travailler	to work
traverser	to cross
tricoter	to knit
triste	sad
se tromper	to make a mistake
trottoir (m)	pavement
trou (m)	hole
tuer	to kill
usé	worn
usine (f)	factory
utile	useful
vacances (f. pl.)	holidays
laver la vaisselle	to wash up
valise (f)	suitcase
valoir mieux de	to be better to
veau (m)	calf, veal
veille (f)	eve
vendange (f)	vine harvest
vendre	to sell
vent (m)	wind
ventre (m)	belly, stomach

vérité (f)	truth
verre (m)	glass
vers	towards
verser	to pour
vert	green
veste (f), veston (m)	jacket
vêtements (m. pl.)	clothes
viande (f)	meat
vide	empty
vie (f)	life
visage (m)	face
vite	quickly
vitesse (f)	speed
vitre (f)	window pane
vitrine (f)	shop window
vivant	alive
langue vivante	modern language
vivre	to live
voeux (m. pl.)	wishes
voisin (e)	neighbour
voiture (f)	carriage, car
voix (f)	voice
voler	to fly, steal
voleur (m)	thief
vrai	true, real

Solution des mots croisés

	1	2	3	4	5	6	7	8	9
1	P	A	R	E	N	T	■	T	E
2	O	R	A	N	■	■	A	I	N
3	L	O	T	■	N	O	C	E	S
4	I	M	A	G	E	S	■	D	U
5	C	E	T	■	I	■	P	E	I
6	I	■	I	N	G	E	R	■	T
7	E	■	N	I	E	C	E	■	E
8	R	■	E	C	R	I	T	E	■
9	S	U	R	E	■	F	E	T	E